JN077153

現代の教育にどう取り組むか

保育・子育てへの展望

小川博久／小川清美◆編集

わかば社

本書は、2006 ～ 2018 年度に発行された一般財団法人福島県幼児教育振興財団（旧：財団法人福島県私立幼稚園振興会）「研究紀要」に掲載された論文の中から、発行元である上記財団の了解を得て、書籍化にあたり一部編集を行い再掲し、弊社より発行するものである。

目次

4 現代における子育て

5 子育て政策のディレンマを克服する道はあるか

6 現代の子育て問題を考える

7 教育制度の中で生活教育を取り戻すことはできるか

8 子育てへの新たな取り組みはどうすれば可能か

1

現代の教育の混迷とどう取り組むか

財団法人福島県私立幼稚園振興会
「研究紀要」第18号（2006年度）

はじめに

今、私の頭の中には、今年起きた様々な出来事の中で輝きを放っている映像と、暗い陰鬱な映像が浮かび上がってくる。一つは、WBCで活躍したイチロー選手を始めとするプロ野球の選手たちや、日本の女子フィギュアスケート選手たちの勇姿であり、もう一つは、我が子を虐待した親や、親やホームレスを殺した若者たちの姿である（もちろん、後者はニュースや報道を通して私の頭の中に浮かんだ想像上の姿でしかないのだが）。いったいこの違いはどこから来るのだろう。そしてなぜ我々は前者にあこがれ、それをかっこいいと思うのだろう。

イチロー選手や、女子フィギュアスケートの選手たちを見て、我々が感動するのは、我々ができないことをやれるからだという面もあるだろう。我々凡人とは異なる才能を生まれつき持っていたということもあるかもしれない。でもそれ以上にすごいと思うことは、彼や彼女たちが並はずれた努力を重ねているということである。テレビで高橋尚子選手のマラソンの高地トレーニングを見たことがある。彼女は練習が元々好きなんですよねと軽くいう。でも、乗鞍岳の山頂付近を普通に歩いただけで頭痛が生じ、気分が悪くなった経験のある私には、高地を走るなんてとてもと思う。きっと苦しい思いもしたのだと思う。そんな苦しい思いを果てしなく繰り返しても、大会になると優勝できなかったり、フィギュアスケート選手ならば、ジャンプを失敗したりすることもあるのである。大会で良い成績を残す喜びを味わうためには、気の遠くなる苦しみも味わうのである。どんなに練習をしても完璧ということはなく、常にリスクは伴うものだ。この成功と失敗の背中合わせの関係、しかも、失敗する確率の方がはるかに高い。にもかかわらず挑戦し続ける人々。この人たちには、強い精神力が伴っているのである。いつも高い山の登山に挑戦する人と、リフトで頂上まで行く観光客の違いにも例えられるかもしれない。身体と心を鍛え、数々の失敗を乗り越えていく人間力の相違にあるのではないだろうか。最近、起こっているいじめや子殺し、親殺しなど、あるいは政治家や役人が起こす談合や汚職事件、耐震偽装建築事件、すべて現代における人間力の低下の象徴ともいえると思うのである。どうしてこの人間力の相違が生じたのか考えてみたい。そしてそこから教育の在り方を考えてみたい。

1．近代以前における職人文化と人々の生活

職人（artisan）という言葉がある。狭い意味でいうと「手先の技術によって物を製作することを職業とする人」とある。具体的には大工、左官、指物師をいう。しかし職人気質というと「自分の技術に自信を持ち、頑固だが実直であるという性質」あるいは職人芸といえば、「優れた職人のみが持つ技術・芸または、そのできばえ」をいうとある。こうした言葉の定義によれば、職人というのは、大工や左官や指物師ばかりでなく、手や身体を使ってある物をつくり上げる仕事をする人々、例えば料理やお菓子、あるいは花火など、すぐ消えてしまうけれど人々に喜びや感動を与えるものをつくる人、踊りや音楽、芝居、先のスポーツ選手を含めて、いわば、人間の芸術文化を同様につくり上げる人は皆、職人芸であり、職人気質を持っていたといっていい。つまり、近代以前の社会から、現代においても、あらゆる文化は昔も今もすべて職人気質によってつくり上げられたといっていいのであり、彼らの気質は、身体と心を鍛え、そうした手づくりの文化を生産するプロセスによってつくり上げられたのである。

そしてそのプロセスというのは、口承伝承であり、みようみまねなのである。先達である師匠と共に生活し、師匠のやり方をみてまねる過程は毎日の繰り返しが大切であり、型から入って型から抜けるという言葉が示すように、落語などの場合、口承伝承、口で伝え口でそのまままねる（暗誦）の連続である。大工であれば、道具の使い方一つで技術の良し悪しがわかったり、素材（木や釘）などの性質になじむことで仕事の仕上がりが予想されたり、身体や手で触れることで、作品のできがわかるということに通ずるのであり、染物であれば、水の性質や温度、染料に衣類をなじませる回数等をカンやコツで覚えていたりするのである。ひたすら日常の繰り返しの中で、手を抜かず仕事に集中することが、良い仕事をすることであり、自信を身につけることであり、それには、経験の積み重ねがモノをいうのである。そういう職人の生活スタイルが頑固で実直な性質をつくり上げてきたのである。

こうした職人気質というのは、前近代社会において、生活の一部に過ぎなかったのであろうか、少なくとも、多数の人々の日常的生活信条と深く結びついていたことが考えられるのである。すなわち、自然との関わりで生活を支えていた人々、例えば、農業、林業、漁業など第一次産業に携わる人々なども基本的には職人気質で生産を支えていたのではないだろうか。これらの産業は自然の変化や動植物の生育のリズムや季節的変化の規則性を無視しては活動できないのであり、一定の面積の土地からは一定量の生産しか考えられないのである。自然の変化を人工で変えたり、生産量の劇的増大を願うという心情は、一般的には、商業経済による需給関係の変化を想定しなければ考えられなかったのである。人々は昔と変わらぬ生活スタイルを守ってきたはずである。

そしてこのことは、子育てや教育の考え方をも規定してきたといえる。子育ての仕方も家事や生産の様式と同様、みようみまねであり、子守の修行などが母親となるための準備であったのであり、親の手伝いが親の仕事を受け継ぐための修行であり、親になるためのみようみまねの体験であったのである。同様に近所の子どもが一緒に遊ぶことも、将来、村人となるための修行なのであった。

今から 3、40 年前、私が教え子の結婚式に出るために、秩父の田舎に行ったとき、村の若者が祝いの挨拶で、何人かが異口同音に、「世の中には三つの大切な袋がある。一つはお袋を大切に（嫁入り先の夫の姑に尽くすこと）、二つは、胃袋を大切に（健康に気をつけること）、三つは、堪忍袋を閉めること（喧嘩を慎むこと）」を述べていたが、これは、村の結婚式の挨拶で必ず述べる定型的パターンとして伝承されてきたのだと思われる。つまり村の立派な大人として認められるための常識であったからであろう。

まさにこれは、村人としての道徳的規範をみてまねて表現しているのである。同様に子育てにおいても、子どものあやし方、乳の飲ませ方、眠らせ方 etc.、すべてみてまねることで、母親になっていったのである。人々は、生産者として生き、生活者として共同体の他者と交わり、子育ての責任を負って親を演ずるなど、すべてみてまねる文化の中で長い時間をかけて学んできたのである。

昔、徒弟制度で弟子入りし、毎日、仕事場の拭き掃除に始まって、道具や材料の扱い方など、次第にレベルの高い技術をみてまねて覚えていくというシステムは、今なお、料理人の修行や永平寺の修行僧の生活には残されている。そこでは、職人芸を修行するための教育スタイルが残されており、新米の入門者は毎日同じことを繰り返しさせられている。そこには、身体の作法として身につける職人気質や職人芸には、毎日、繰り返し同じ生活を送り、精神を集中して技を身体になじませることが大切だという考え方があり、精神の鍛錬（心の修行）も身体を鍛えることで初めて生まれるものだという考え方があったのである。だからこうした職人気質の修行は日常生活を送るときのモラルとしても奨励されたのである。なぜなら、日常生活が手作業で行われていた時代には、職人になるための修行や、修行僧の生活まではいかないにしても、類似した考え方や生活の仕方が奨励されたといえるのである。だから一般人のモラルとして早起きは三文の得とか、「艱難汝を玉にす」（注：困難に出合って苦しみ悩むことによってかえって人間が鍛えられていくこと）といった諺が、日常生活の送り方としてよくいわれたのである。

そして今でも、親が子どもたちを勉強させたいと思うときには、宿題は毎日必ずやること、毎日努力を重ねることが学力を向上させることだということは、口を酸っぱくしていうセリフではないだろうか。しかし、ここには大きな相違があるのである。毎日、同じことを繰り返し努力して行うことは、日常生活の流れの中では、喪失しているのである。言い換えれば、努力しなくても気楽に過ごせる部分はどんどん拡大している。だから他のことは何もやらなくていいから、勉強だけはしっかり努力を惜しむなということを親は子どもたちに要求しているのである。

それはイチロー選手やフィギュアスケートの選手が好きな技術だけを毎日練習を欠かさぬようにしているのと同じだろうか。こうすればイチロー選手や荒川静香選手のようになれるのだろうか。ここには、決定的な相違がある。後者の場合、結果的に野球や好きなことが生活のすべてになってしまったのであり、それだけをやることを初めから限定して始めたわけではない。職人の修行とは大きく異なる点がある。勉強だけをする子どもの場合、職人の修行の場合、修行に必要な時間を省略はできない。どんな天才でも、修行には時間がかかる。時間をかけないと良い作品はできないし、そうした作品をつくる人間にもなれない。そしてそうした修行は、誰もが通過する日常生活の行いからつくり上げられていくのである。一日一日をごまかさず、コツコツと繰り返し行うことで初めて技を身につけることができるのであるという信念が後者にはある。

しかし前者の場合、他のことは何もしなくてよい、勉強だけしていれば、学力は身につけられるという考え方が現代人の考えたがる方向である。言い換えれば、ここには、やるべきことを初めから合理的に考え、効率的にやって無駄を少なくしようという考え方である。しかし後者は好きなことがあり、やっているうちにあるときからそれをする時間が広がり、他の人にとやかくいわれなくても、技術を磨く練習を果てしなくやりたくなる生活になり、生活の大部分が技術の練習で占められるようになってしまったから、今があるのである。イチロー選手を野球の天才とも、職人芸というのも、そうした生活そのものが野球中心に回っているからである。そのためには、食事制限も酒やタバコという嗜好品も禁止するという生活ができる人たちなのである。普通の人ならとてもできない自己コントロールのできる人たちなのである。だからすごいことができるのであろう。

2．現代社会と人々の生活作法と暮らしの精神

日本の社会は高度経済成長を迎えた頃から大きく変化を遂げてきた。人々の生活スタイルも大きく変化した。人々の生活心情に大きく変化をもたらしたものは効率化の原理であり、消費中心の生活スタイルである。生産現場では、無駄を省いて合理化を推進し、生産効率を上げること、時間は最も重要な利潤を考える要素となった。スピードアップすることは、効率を高めることであり、結果の良し

悪しが利益率を左右する時代となってきた。この考え方は、年功序列といった考え方をつき崩す大きな要因となり、生産現場から消費生活場面にまで波及することになる。ファーストフードはその典型的表現であり、給与水準が生活の豊かさを保障する最大の要因になってきた。生活様式は日々省力化が進行し、消費財には消費期限が表記され、期限切れは廃棄されることで、消費財の需要と供給関係の予測可能性、計算可能性が拡大する。この傾向は、耐久消費財である電気製品などにも及び、古いものは、新型の機種とどんどん買い替えられ、旧商品の廃棄と新種の買い替えによって生産と消費のバランスが益々予測可能になるように操作される。

この傾向は、流行歌のヒット・チャートの順位制の普及、テレビの視聴率の表示化などによって、生産と消費、廃棄の循環の流通システムの加速性が益々増大していく。この生産と消費の循環システムの計算、予想性の拡大とともに、人々の日常生活もこの市場システムのスピードアップに巻き込まれていくのである。新しい歌のCDを買い求めたり、新種のゲームソフトを求めたりするように、流行の商品はすぐ使い捨てられ、新しい商品を購入するようになる。こうした生活スタイルからは、収入の高さが生活水準の豊かさを示す指標となり、賃金格差が即生活上の格差として現れるようになるのである。

家庭生活は大きく変貌する。家族のメンバーはより高い収入を求めて外に働きに出る。共働きが多くなり、生産現場の時間に制約されるので、家族が一緒に行動したり、集まったりする機会は少なくならざるを得ない。また消費中心の生活になり、趣味や娯楽というプライベートの面でも個別化されるので、夫婦や兄弟でも好みの相違で、外出する場所も目的も異なる場面、時間も空間もバラバラに動くことになる。夫はバッティングセンターやゴルフに、妻はショッピングセンターやエステにというように。また、家庭内にいる場合でも、起床・睡眠時間がズレれば、お互いに会う機会はない。テレビの視聴番組が違えば、同じ部屋にいない。各々が電気製品を持っていればお互いに一緒にいることもない。最も家族が出会う場として三度三度の食事も出勤時間が異なり、帰宅時間が同じでなければ、しかも家で食事をつくって一緒に食べるという習慣を固く維持しようと決意しなければ、家族が一緒にテーブルを囲む必然性はない。同じ屋根の下で生活しながら、家族の構成員同士が出会い語り合うことをしなくても生活することは可能なのである。

経済的に余裕があり、気ままに暮らせるという実感を持ってこうした暮らしが可能になり、もし家族のメンバーとの間に心の絆を感じないといった生き方をしている人がいるとしたら、こうした暮らし方を言葉でチェックをしたり強制したりする人が現れたら、それが親であっても、そうした制約をウザイと感じたり、権力的だと感ずる若者が出たとしても不思議ではない。経済的な面からのみ生活の豊かさを求める生活の中から果たして家族の絆は育つのであろうか、家族とは何なのだろうか、夫婦の繋がりはどうして生まれるのであろうか、親と子の愛情や絆はどうしたら生まれるのであろうか。

3．家族というものの生活作法と絆の成り立ち

我々は、動物園で様々な動物の親子関係を見る。日本ザルの親子がいつも一緒にいるのを見る。鳥類の親が一生懸命卵を温めている姿を見る。そこに親と子の絆を見る。そしてそれは血の繋がりを感じる。やはり、家族というものを構成しているのは、血の繋がりが基本にあるのだと信じたくなる。確かにそう思わせる要素もいっぱいある。だから最近の事件に見られるように、親が子どもを虐待し

殺したり、子が親を暴力の末、殺してしまったりすればショックを受け、世の中いったいどうなってしまったのだと思ってしまう。

しかし一方、人々が人間の世の中で必要とされるモラルの大切さを説くとき、よくいうセリフがある。「我々人間はけだものではない。我々は、理性を持っているはずだ。だからいたずらに人を殺めたりしない。人間の知恵を持って関われば、人々は平和に仲良く暮らせるはずだ」といった説教をよくこれまで聞いてきた。特に、教育者から教育現場でよく聞かれる言葉である。

しかしこれも歴史を振り返れば、簡単に覆すことができる。なぜなら、けだものといわれる動物種の中で、同じ種類の動物がメスの獲得のために個体同士が争うことはあっても、殺し合うことはしないし、人間の社会のように大量殺戮をする動物（けだもの）は皆無である。確かにインドに住む猿やライオンのように、ハーレムで子を育てているときに、ボスの主導権争いが生じ、旧いボスが敗北し、新しいボスが誕生したとき、旧ボスとハーレムのメスたちの間に生まれた未成熟な子どもはすべて新しいボスによって殺害される。でないとハーレムのメスが発情し、新しいボスを受け入れないからだ。強い子孫を残すための本能だといわれている。これもまた生きるための本能だとすれば、人間の家族の絆はやはり血の繋がりにあると信じることも、決して唯一の真実だということも怪しいということになる。

このように家族の絆の原因を血の繋がりに求めるだけの根拠も怪しいし、また人間は理性を持つ存在だから人を殺めたりしないと信じることも怪しいことになる。ではいったい何が家族という絆を育ててきたのだろうか、有名な人類学者の今西錦司にいわせると、動物種の中で、オスとメスと子どもがファミリーを形成し、オスが子どもの世話をするという高等な動物は人間しかいないといっている。

とすれば、家族の成立をヒトという種が成立するところに求めることができることは確かである。しかし、いろいろな社会における家族の成り立ちを歴史的に訪ねてみると、様々であり、現代における核家族の成立は、主として先進資本主義国においても、20 世紀後半に顕著になってきたといえる。また、親と子どもの絆にしても、イギリスの社会においては、子どもの人格を尊重して育てようとする態度は、18 世紀以前にはあまり見られなかったようである。

このように考えれば、家族の絆の成立を人間の理性に求めたり、血の繋がりに求めたりする考え方はすべて一面的でしかないことになる。とすれば、それですべてを語るわけにはいかないということになる。では何が家族の絆を生み出してきたのだろうか。

それを私は人が共に生きるために努力してきた工夫の歴史にあると考える。人が人として生まれ、生きるためには、食べるための努力をしなければならない。三木成夫は『胎児の世界』[1)] の中で、動物が生きるための努力として行っている行為が食を求め、生殖を行うことだといっている。やがて日本ザルのように、群れとして生きていくことが、個々の生命の維持につながることを見つけた動物種は群れとして生きる工夫をする。ボスが選ばれ、ボスの支配のもとでメスのハーレムが形成され、強い子孫を残し、ボスの権力支配のもとに行動し、種を守る工夫をする。しかし、ボスが弱体化すれば、新しいボスの支配が生まれる。生まれた子どもはメスにくっついて行動するが、大きくなるにつれて、子ども同士じゃれ合う遊びを通して強いものと弱いものの上下関係を学び、毛づくろいで目上のサルに従順であることを示し、マウンティングで自分の方が強いことを示す、自分で食べ物を手に入れなければならない年齢に達すると、できるだけたくさんの餌を独り占めしようとするボスザルの目を盗んで、さっと俊敏にボスの餌を掠め取るすばしっこさが要求される。

ボスは脅しと威嚇によって子ザルをしつけるのである。その代わり、他の動物から攻撃され、生命の危機に脅かされるときは、ボスザルの叫び声で群れが一斉に動き、危機を回避しようとする行動がとられる。こうして群れは一丸となって行動する。そのために強いボスの存在が必要とされるのである。サルは生きるために群れをつくる。

人間の家族の成立とサルの群れの話を一緒にするわけにはいかない。しかし、人間の家族の成立も生きるため、子孫を残すための工夫の一つとして、生まれてきたことだけは確かなことである。同じ屋根の下で一緒に暮らす必要性があり、その歴史が何世代にも伝承されてきたからこそ、家族の絆が生まれてきたことを考えるしかないのである。しかし、ここで世界各地で異なった歴史の中で成立した異なった家族の形態やその成立の過程を一つ一つ辿るわけにはいかない。ただ、ここで確認できることは、食べて生きていく手段を得るために一緒に努力する過程があったこと（それは狩猟であったり、採集であったり、農耕であったりする）、また、一緒に食べ、寝る場所を共通にしたこと、さらに子孫を残すための努力を一緒にしたこと（生殖と子育て）、この三つの努力なしに、家族という群れは生まれなかったことは確かである。さらに、以上の努力の他に、食物の貯蔵場所や貯蔵方法、生産手段を得る場所、縄張りの確保なども共同で、または協力してつくり上げたはずである。これを衣食住確保のための努力と言い換えてもいいだろう。こうした努力はすべてメンバーが身体を使って共同で行ってきた長い長い歴史の末に、家族という集団が成立したと考えていいと思われる（もちろん、多くの奴隷を使ったり使用人にそうした作業をすべて任せてしまう時代もあっただろう）。ただ、こうした時代や文化の相違を超えて家族というものの絆をつくり上げてきたものは、身体を使ってつくり上げた共同作業が、土台をなしてきたといえるのではないか。近代社会になり、生産地点が家族のメンバーと離れ、賃金労働によって生活するようになっても、食べること、暮らすことは、同じ屋根の下で過ごすことが、家族の暮らしであると考えられてきたのである。言い換えれば、手作業の文化や伝統が、家族という絆をつくり上げる土台にあったのである。

もちろん、支配階級の家族の場合、所有する土地を守るとか、家柄という名誉を守るとか、血の繋がりを守るとかいう観念的な理由で、家族の絆が生まれた例も少なくないだろう。しかし、その場合にしても、血の繋がりを守る行為は、日常の中では、自分の子孫を残し、それを大切に育てるという協力関係は成立していたはずである。また一族の名誉を守るという場合、祖先の霊を崇める宗教的行事を欠かさないとか、祖先の家訓を毎日暗誦するといった日常の努力を重ねることで、家族の絆を維持しようとしたはずである。

いずれにせよ、家族をつくり上げているメンバー一人ひとりが、家族の一員であるという絆を感ずるためには、毎日毎日変わることのない日常しなければならない作業や、生活習慣を積み重ねてきたはずなのである。そしてどんな家族であれ、そうした家族であるための作業の文化（身体行為の文化）を積み重ねてきたのである。そしてこの文化は、子孫となる若い世代が旧世代の生活していたのと同じ家に住み、同じ土地に暮らせば暮らすほど、伝統として継承されてきたのである。こう考えると、家族の絆は毎日繰り返される日常の蓄積を通し、徐々に、あるいは、知らないうちに形成されるものなのである。毎日家族が全員打ち揃って食事のテーブルを囲む生活の果てしない積み重ねが、家族の一員であることのアイデンティティーをつくり上げたといえるのではないだろうか。

以上のような家族の絆のつくられ方は、いわば「みようみまね」による学習であるといえるのだと思われる。去年（2006（平成18）

年）朝日賞を受賞した脳科学者の川人光男は、複雑な動作も練習を重ねれば意識せずに滑らかにこなせるのはなぜかという問題に答えて、みようみまねの練習を重ねれば、理想的な動作をするために必要な神経回路が小脳につくられていき、無意識の動作が可能になることを、ロボットをつくることで証明してみせた。先に述べた職人気質は、こうしてみてまねることから修行を重ね、次から次へとより複雑な芸を無意識にできるようになっていったはずなのである。そしてこのみてまねる学びは、職人芸といった高度な技術を生み出すとともに、職人気質という心の在り方までもつくり上げてきた。そしてそれは、内弟子制度においては、師匠の家に住み込んで、毎日の暮らしぶりをみてまねる生活から始まったのである。かつての家族の絆の形成のプロセスも難易度のレベルの相違はあったとしても、みてまねるという職人養成のプロセスと共通性を持っていたといってよいだろう。だから昔は、嫁に行く前に、他家に子守として雇われたり、女中見習いがよく行われていたのも、姑の支配の下にある夫の家で、嫁としてやっていくための修行であったのである。もちろん、このようなやり方が現在も容認されるべきだと私は主張するつもりは全くない。女性だけが家族における「みようみまね」を継承しなければならないとは思わないからである。

4．現代の家庭における生活スタイルの中での子育ての位置

現代の家庭生活は大きく変貌を遂げてきた。前述のように、家族のメンバーの生活の仕方は、家族のメンバーの賃金収入によって決定的に規定されている。以前私は、現代家族の生活は、世帯収入の高さによって規定されていると述べた。もしその収入がストップになったら、一日たりとも生活していけない。私はこのような貧困

を中小企業倒産になぞらえた。冷蔵庫、洗濯機、掃除機、テレビ、CDプレイヤー、パソコン等、衣食住のあらゆる生活財が全部揃っていて、何も不便を感じない生活財が用意されていても、収入が一銭もない、あるいは、カード破産などになれば生活は成り立たない。これで夜逃げをする家族も少なくない。ちょうど、生産手段はすべて揃い、働く人もいるのに資金繰りのメドが立たなければ、加工原料を買う金はないし、工場も稼動できないのと同様である。

私の小学生の頃、十畳一部屋の荒屋（あばらや）に住み、年子の子どもが10人もいて、赤貧洗うが如き生活をしていた家族があった。父親はほとんど一年中海に潜って魚を突いたり、さざえや鮑をとって生活していた。父親は50代半ばで脳卒中で死んでしまったが、家族は一人残らず元気で成人したということを後になって聞いたことがある。その頃は現金収入が少なくてもきっと食べていけたのだと思うのである。

現在、市場経済の進行は、家族生活のハードウェア（耐久消費財や衣服、住居、食料などの消費財）だけでなく、ソフトウェア（料理の仕方、子どもの教育や育て方、衣服や住居の在り方、など）も消費行為として行われるようになってきた。我が家の手料理とか我が家のしつけの在り方など、各々の家庭が手づくりや親からの伝承として行われてきたものが次第に失われ、市販されたものを購入することが多くなっている。趣味や娯楽もテレビ視聴やCDを聞くというように、外でつくられた文化を受容することが多くなり、今や家庭生活の中で自前で手づくりのものも少なくなってきたのである。最も手づくりの家庭の仕事として残されてきた三度の食事も外食に依存し、デパートの地下や最寄りの惣菜屋から買ってきたもので済ませてしまうことになる。つまり、かつて家庭を支えてきた自前の手作業の文化、言い換えれば、みようみまねで伝承されてきた職人の文化に連なる要素も消えつつあるのである。お正月のお餅つき、御節料理づくり、門松飾りづくりなど、家族で正月を迎える手づくりの文化は、家族のハワイ旅行などに変わってしまっているのである。

では家族としての手づくりの文化、職人文化は今や全く失われてしまったのか、こうした文化が失われてしまっても家族という人間の結びつきは残りうるのだろうか。夫婦が一緒になって、子どもの食を世話したり、安全を守ったりするという意味での家族というのは、霊長類の中では人間だけであると今西錦司はいっている。確かに、鳥類の中にも哺乳類の中にもある期間、子育てを共にする動物は存在する。しかし、夫婦という関係と親と子の関係が同時に永続的に家族を構成するというのは人間だけらしいのである。こうした家族関係を育ててきたのは、食べるために、共に生きるために行う共同の作業であったのである。その中で、自分の子どもを育てるという手づくりの作業は昔も今も変わらないのではないだろうか。確かに、家父長的権限が特に強化された時代の支配階級とか、母系性社会の支配階級の母親などは、自分は実際に子どもと関わらず、乳母や使用人に子育ての実務を任せてしまう時代もあったと思う。しかし、子どもを育て、一人前の大人に仕上げるためのしつけやモデルの育成には、身をもって示す（モデルになる）ことや、実際の経験に当たらせるとか、子どもと付き合って一人前に育てる役割があったのである。だから、現代の家庭においても丁寧に子どもと向き合い、共に生活をする存在が必要なのである。

家庭生活のあらゆることが合理化され、省力化され、自動化されても、子どもを育てるという家庭の機能は、その担当者がこれまでの様々な体験を積み重ねることでしか行うことはできない。子育てをロボットやテレビ番組やパソコンに代わってもらうわけにはいかないのである。しかし、そうした事実が無視されようとする現実があるのではないだろうか。テレビ番組のインタビューなどでは、多くの人々が正常な常識を語っている。例えば子育てでは家庭の責任が一番大きい。あるいは世の中の混乱に対し、人と人の絆が一番大切であると、家庭が一番大切であると。しかし、その人が電車の通勤客となるとストレスにとりつかれた表情になり、車掌が毎日繰り返し、車内アナウンスで７人掛けであるからきちんと譲り合って座ってほしいとか高齢者や身体障害者の席はその人たちのために提供してほしいと繰り返すけれども、通勤時は全く守られていない。学校や公共広告機構で望ましいモラルがいかに教えられ、施行されても、殺人や犯罪は減らない。

理由は簡単である。省力化が進行し、情報化社会で効率化が進行するにつれて、時間も労力もできるだけ少ないレベルで最大の利益や安定、快楽を求めたいという心情が人々の一般的心理になっている。仕事場に通勤するのにできるだけ快適で楽な方法で、できるだけ早く職場に辿り着きたい、周囲からも迷惑を受けたくない。乗客同士は見知らぬ他人である。だからお互いに関わり合うことはしたくない、関係ないからである。携帯する荷物やバッグがお互いに接触し合うことさえ、ストレスになる。お互いジロリと目を交わし合う。それも嫌な思いを受けたくないというストレスの表れではないだろうか。そこには、被害者意識を持った弱者の群れが、満員車輌に押し込められて悲鳴を上げる寸前の姿があるような印象を受ける。高度経済成長期に入った頃のサラリーマンのように、まだ貧しいけれどより豊かな生活を求めて、今日も働くぞという気概を込めて、満員電車に乗り込もうとする姿とはいささか異なってきたのではないだろうか。これは私の単なる印象に過ぎないにしても、この１、２年で、毎年３万人以上の自殺者が生まれている。毎日、親殺し、子殺しの報道が見られる（例、１月３日の朝日新聞朝刊には、３

件の肉親殺しが報道されている）。最も親しい関係であるはずの相手、これまで親密な関係を持ってきたはずの相手を抹殺するということは、一番我儘が許される関係であるからこそ、人間としての弱さが露呈されるのである。冒頭で私が述べた人間力の弱さの表れといわざるを得ない。ちなみに１月３日のテレビ番組の中の、塩野七生氏と五木寛之氏の新春対談でも、最近のいじめなどの世相に対し、塩野氏が人間が弱くなったことを指摘していた。

私はこの要因を職人気質を形成していた、かつてのようなみようみまねの生活文化の衰退にあると考えている。そしてこの人間力の弱体化は、家庭生活の子育てや学校における教育という営みに最も顕著に現れていると主張したい。前述のように、かつて家庭の諸機能の中で家事・育児は不可分な活動であった。そしてそれは専ら専業主婦の仕事とされていた。しかし現在、家事はほとんど省力化し、金さえあれば誰でも家事を担当できるほどに簡略化されてきている。言い換えれば、消費行為として処理されるに至っている。例えば、洗濯など、汚れ物を洗濯機に放り込んで、洗剤を入れスイッチを入れる。洗濯終了後は乾燥機に放り込んで時間をセットし、スイッチを押しておけば、それでOKである。洗濯機で洗えないものはドライクリーニングに出せばよい。家庭生活で消費への依存度が増せば増すほど、共働きへの要求は増大する。

こうした傾向の中で、子育てだけが例外である。簡単に省力化できない。男女共に長期の育休が求められる所以がここにある。子育てだけが職人文化を支えてきたみようみまねや、習うより慣れろという生活信条が要求される文化はないのである。しかし、若い年齢の親であればあるほど、早くから省力化され、消費生活化した家族で育っているのである。しかも、物心ついた年齢に達したときには、親の子育てを「みようみまね」する機会を喪失しているし、家庭生活全体が省力化し、消費生活をしており、自分も親から勉強だけしていればよいといわれた、あるいは、塾に通っていれば、親も安心している時代に育ってきたのである。

この若い親の世代（1965（昭和 40）年の平均世帯人数が 4.01 人であるので、この核家族成立以降に生まれた世代といえば、現在（2006 年）40 歳前後以降の親たちを指しておきたい）の場合、特に都市圏で生育した親たちは、「みようみまね」の職人文化の伝統に触れる機会は激減している。主として自分たちの受けてきた教育は、学校にしろ、塾にしろ言葉によって行動をコントロールされる教育である。しかも、学校生活も、卒業してからの職業生活も、消費生活が支配している生活である。アルバイトに明け暮れる学生時代も就職してからも「みようみまね」の文化とは無縁の生活を送ってきたのである。

そして共働きが公然化される昨今、結婚をしても、消費生活を自由に満喫できるうちは、子どもはつくらない。高齢出産による危機が迫るギリギリまでは子どもをつくらない、さらには、自由な恋人関係でいられる限り、結婚はしないと考える若者も増えてきたのである。そして男女雇用機会均等法が施行されても、男女の雇用格差が残っている我が国では、女性はノンキャリアとして OL 扱いされる傾向も残っており、OL としての適用限界年齢に達する前に良き伴侶を見つけて、永久就職である妻の座に転職することが、賢い女性の生き方である。そして、高齢出産の危機水域に入る限界までに、第１子か２子を設けるという生活設計を立てて実行するのが賢い女性の生き方である。そしてその際、もちろん、ルックスも大事だけれど、高収入、一人っ子や長男を避けて、義理の父母の世話といった核家族的構成を阻害する条件が付随することを、極力避けて生活できることができれば満足である。

こうした合理的生活設計において決定的に欠落しているのが、結婚後、妊娠から出産、乳幼児の養育にかけての経済学的にいえば、労力に関する予測と準備である。若い世代の結婚において予測されうるのは、出産後、子どもの成長に関するものくらいであろう。子育て経験についてのみようみまねの経験のない世代にとっては、幼児との接触の仕方、世話の仕方がわからず、従って、父親の自覚も育たぬまま、出産後の乳幼児の養育体験はまさに青天の霹靂となる。夫の方は、給与取得者であることを理由にその責任を妻に押しつけ、日常の養育行動からは遁走し、せいぜい入園式とか行事などへの参加でお茶を濁すか、妻への自分のサービスが低下したことを憂い、不機嫌になる（近年この傾向は少し改善されてきているとは聞いている）。

一方、専業主婦として母親役を専ら任せられた女性は、学生生活、OL生活を通じて、アルバイトさらに就職で得た現金収入は、専ら自分の女性らしさを具現するための化粧代、アクセサリー代、衣装代に使用したり、異性や同性との交友の遊興費として消費し、両親と同居の自宅通勤の場合は、いつまでも親に依存したパラサイトシングルという人も少なくない。いうなれば、偉大なる消費者として振る舞うことが中心となる。また、結婚しても、共働きができるうちは、この生活スタイルを変更しなくて済む。二人の生活は、出費に応える収入があれば、家庭生活もさほど苦労はない。省力化した家庭の暮らし、豊かな消費生活は、衣食住に限らず遊興費もすべてお金があれば片がつく。かつて昭和30（1955）年以前のような労力がかかる家庭の暮らしはない。

しかし、結婚して妊娠し、出産し、子育てが任務となると、専業主婦とその夫は大きな変化に遭遇することになる。かつての自己中心的生活が不可能になるのである。子育てという日常的営みでは手抜きができなくなり、子どもの世話のために、自己中心から他者中心（幼児中心）生活を送らなければならない。こうした生活スタイルを日常的に経験したことがこれまで皆無な世代なのだ。子育ての知恵を母親からみてまねることもできなかった人が多い。自分が子育てをする年齢では、母親ははるか昔に子育てを終了しており、自分の経験は記憶のかなたに去ってしまっているのである。そこで母親となった女性の頼りは育児書である。学習とは学校で教授されたものと考え、育児書やウェブサイトから判断を仰ぐということになる。科学的知識は確かに有効だし、子育ての仕方を新しくしてきた。しかし、言語化された子育ての知識はかえって育児不安を与えてしまうこともある。例えば、幼児に異変が起こる。育児書を見る。育児書の教えは、最大公約数の知識でケースバイケースについて答えたものではない、一般的な教えが書かれている。母子手帳に幼児の体重、身長などのグラフがある。平均から少しでも外れていると不安になる。うちの子は背が伸びないのではないかしらと。経験のない者にとって知識は確信の根拠にならないことも多い。夜泣きして止まない幼児に悩んだ母親が近所のお年寄りの女性に話したところ、「泣く子はよく育つというよ」「泣く子は賢い子だよ」といわれてすっかり不安がなくなったという話がある。こうした経験者の話をかつて事例認識と小川清実はいっている。こうした知恵こそ、不安に対しては有効な確信の根拠となるのである。つまり、子育ての行為は、前述まで述べてきたように、みようみまねによって生まれる職人文化の伝統を引くものだからなのである。子育ての習慣という文化は文化の異なる社会によってそれぞれ独自な特色を持っている。それは人々が毎日の行為をみてまねることで、理屈の前に身体で身につけてきたものである。その意味でいえば、礼儀作法とつながる生活習慣の中で積み重ねられたものである。だからこそ自然に行われてきたものである。そしてそれは、家事・育児といわれるように、両者は結びついてきたものである。また家族制度とも結びついてきた。それゆえ、女性差別の対象ともなってきた。子を産めない女性は石女（うまずめ）と呼ばれ、離縁された。子どもの面倒は見ても、養育に関する決定権は父親のものであったり、家の所属であったりして自由にならなかった。そして姑の命令で家事にこき使われる中で子育てもしなければならなかった。男は子育てに知らん顔する者も多かった。しかしそれだからこそ我が子に乳を与える時間、我が子をあやす時間は、酷使される家事の時間と異なり、我が子との豊かな応答の可能な時間ともなり、母親が最も人間らしくなれた時間なのである。こうした中から母性愛の神話は育まれたのである。

しかし、現代は異なる。子育ての期間は現代の女性、特に専業主婦にとっては、子ども誕生前の自己中心的生活から、他者（幼児）中心の生活、一時的に自己犠牲を強いられる時間なのである。亭主関白時代の男と異なり、夫も友人のように優しくはなったけれど、子育てに関しては、未経験者であり、給料取得者であることを理由に、逃げを打つ者も少なくない。実際に援助しても有力な戦力とならないことも多い。専業主婦にとっても、消費生活者に過ぎなかった自分が幼児との共同生活者にならねばならないという点で、ここにライフ・ステージにおける大きな転換点が生ずるのである。子育てに対応する不安に伴い、OL時代と比べて、自分の時間がない、行動の自由を奪われる、自分が自由に使うお金がない（自分で稼いだお金を使うのではなく、世帯収入である夫の収入から、自分が自由に使えるお金、アクセサリー、化粧品、衣服などに使える金がなくなる）、この三つの欲求不満は、自己中心的生活をしてきた自分の人生の幸福と、幼児の生活の援助との狭間で綱引き状態になり、育児不安は倍増する。加えて、高学歴が子どもの豊かな生活を保障するという神話を幼児期からインプットされてきた親たちは、教育への関心は高いため、幼児の教育のためという口実を使って、消費すること（金を使うこと）が状況改善につながると考え、できるだけ早くから、国公私立の幼児教育機関に我が子を預けようと考える。しかもできるだけ長時間預かってくれる施設に委託して子育てから開放されたいと目論む。その間、アルバイトで働いても、その方が得策だと考える。子どもから解放されて、小遣いも稼げるからだ。とはいえ、預けた施設への注文は多い。我が子が怪我をしようものなら、責任者を訴えるという親も少なくない。一方、施設の方はそういった親に対応するために、子どもの安全保障と早期教育とサービスは十全にしますと称し、少子化の中で施設存続を考える。こうした状況の中で、望ましい子育てや教育をどう考えていけばよいのであろうか。

豊かな愛に育まれ、友達と良き関係をつくり、自分のことは自分でやり、たくましい身体と心を育て、人を信じ、人から信じられる存在として世の中の役に立てる人間になろうとする精神を持った人間をどうしたら育てられるのだろうか。

今、我々は、家庭の教育、地域の教育、学校教育、いや我々現代の生活すべてを振り返ってみる地点に来ているのではないだろうか。我々人間同士が信じ合い、助け合い、かつ自立して生きる居場所をつくるにはどうすればいいか、私には全体の計画を立てることはできない。自分の周囲にそうした場をつくる努力を見つけていこうという決意があるだけである。そうした居場所の中でしか、親と子が共に生きるという関係は生じないからである。

1）三木成夫『胎児の世界』中央公論社、1998

2

教育の本義は
どうすれば取り戻せるか

—「人間形成」の目的は今生きているか—

財団法人福島県私立幼稚園振興会
「研究紀要」第19号（2007年度）

はじめに

筆者が大学院で「教育学」という学問を学び始めた頃、研究者や学生たちの間で当たり前のように使われていた言葉が「人間形成」であった。この言葉には、特別な響きがあった。教育という営みは、未成熟な存在を立派な人間に育て上げる仕事であるというイメージがつきまとっていたのである。だから、教育原理のテキストでは、教育の目的は人間形成であるといわれてきた。例えば、細谷恒夫は「方法的組織的な教育（例えば、学校教育－筆者注）は、このような根源的で包括的な人間形成の上でもって初めて、人を人にすることができる」[1)] また、近代教授学（Allgemeine pädagogik）の中で教育目的として「強固なる道徳的品性」（Charakterstärke der Sittlichkeit）を挙げた。

教育という営み、特に学校教育の役割は、人間形成であるという信念はいわば常識であり、教師という仕事は決して経済的には恵まれないけれども、とても貴重な仕事だ。それは、具体的には、文学や数学を教えたり、体操を教えたりすること以上に、小さな子どもの存在を人間として立派な社会人に形成することだという社会通念は、少なくとも戦前までは常識のようなものだった。だから、私の父は、師範学校卒業後、多摩地区の教師として自分の学校区以外の子どもや父母から挨拶をされたという。それは国家政策のしからしむるところであったにせよ、外見上も、内面的にも一目置かれていたのである。

しかし、現在はどうだろう。学校は子どもを立派な人間に仕上げてくれるところだというイメージは希薄になっているのではないだろうか、学校という場は、今や学力重視で学力差が人間関係の格差を生み、子ども同士の関係も希薄化し、不登校、いじめを増大させる温床と化してはいないだろうか。ある学校では、学習遅退児が1割近くに及び、成績の良い子と悪い子が校庭で一緒に遊ぶことがなくなり、学級が一つのまとまったクラスの体をなさなくなっているといった事例や、学習遅退児に対し、教育委員会が、将来、教師志望の学生を学習指導員としてボランティアで採用したり、時には、カウンセラーが参加したり、非常勤の英語の先生が参加することで、子どもへの指導が一見、きめ細かく行われているように見えるけれども、担任教師との連携が薄いところが多く、そうした学習遅退児に対する担任の責任感が薄くなって、学習指導員任せという学級も増えているといわれている。一例を挙げよう。ある学校の4年クラスには学習遅退児が数人おり、授業についていけないという理由で、放置されている。小学校の国語の授業で扱う教材はスウィミーの物語であった[2)]。小さな魚たちが、大きな魚に食べられそうになると、小さな魚たちは力を合わせて、群れの形をつくり、大きな魚に見せることで、大きな魚の攻撃を防ぐという物語である。ところが、学習遅退児と見なされた子どもたちは、授業の相手にならないで放置された。結果として彼らは、騒いだり、教室を動きまわったりした。そこで担任の先生から、うるさい、静かにしなさいと注意を受ける。しかし、数分後、また先生の注意を聞かずに動きまわる。その後、担任はその子どもを無視して授業を続けた。一方、それを見ていた学習指導員が、学習遅退児に今、何を勉強しているのと聞いたところ、その子はすぐ「スウィミーだよ」と答えたという。

こうした学校がすべてだとは、決していえないにしても、今や、学校は、人間形成をする場であるというイメージは、人々の中には薄れているのではないだろうか。近年出版された『現代教育方法事典』[3)]には、教育の目的と目標の項目があり、次のように書かれている。「一般に、目的が上位、究極的であるのに対し、目標は下位、過程的方法的である」そして教育の目的は教育基本法第1条（教育の目的）は「教育は、人格の完成を目指し……」（人間形成と同義とする—注）とある。とすれば、学校教育の究極目的は「人格の完成」にあるはずである。しかし、そうした建て前は教育の現場では、前述のように、ほとんど無視せざるを得ない状況があるだけではなく、この究極の目標を推進しなければならない行政当局でさえも、このことを空文に等しくしてしまってはいないだろうか。2007（平成19）年12月9日、朝日新聞の朝刊の1面は、次のようなものである。「“夜の公立中、塾か受験講座” 杉並区の和田中学校では、平成20年1月から1年間、2年生の希望者を対象に「夜スペ」と題した試みが始まる。（～中略～）月謝を半額程度に抑えて家庭の負担を減らしつつ、塾が持つノウハウで、志望校への進学にも生きる学力を伸ばすのが狙いだ。（～中略～）放課後の学校で学習塾が受験のための授業をするのは珍しい」これに対し「先生と子どもたちの信頼関係がどうなるか不安だ」（杉並区内の母親）という声もある。「公教育でも塾の存在が高まる中、『勉強を教える専門家』である教師の力をどう伸ばすのか改めて問われている」とある。

こうした現象は、単に受験対策というに止まらず、学校とは何か、教師の役割とは、その重要性はどの程度、人間形成という教育の目的はどうなっているか、家庭教育の役割はなどと様々な問題を提起している。この記事に対し教育評論家の尾木直樹は毎日新聞でこう述べる。「学校の塾化が進むだけで総合的な学力向上にはつながらず、やめた方がいい。塾は教え込むやり方で知識をつけるにはいいが、安全で安心な居場所を確保し、子どもが自ら学ぶように促す学校の役割とは異なる。子どもが先生を見る目も変わり、塾の講師を学校の先生より上に見てしまうだろう」（毎日新聞、12月9日30頁）と述べる。

いったい今、学校教育は人間形成の場であるといえるのであろうか。受験のための学力を養成する場である塾と学校との相違は今どこまで明確になりうるのか。「人間形成」という文言にこだわって、学校教育の役割について改めて考えてみよう。

1．「人間形成」という言葉について

「人間形成」という言葉は元々教育と同じ意味で使われてきた。ドイツ語ではMenschenbildung、Menschenformungというが、このBildung＝陶冶とは「形成する」「形づくる」という意味である。例えば、ナトルプという学者は陶冶（人間形成）についてこういう。「個人の教育はあらゆる本質的方向において社会的に規定されているということ、他面において社会生活の人間的な形成（eine menschliche Gestaltung sozialen lebens）は基本的にいって、社会生活に参加すべき個人の、その社会生活にふさわしい教育によって条件づけられている。」4）

このナトルプの「人間形成」の説明に従って具体的に考えると、まずはかつての「家庭」という社会が人間形成の場ということができるだろう。一人ひとりの教育つまり人間形成は、家庭という社会に規定されるということができる。家庭という社会の生活の人間形成は、家庭に参加する家族のメンバー一人ひとりの、家庭生活にふさわしい教育によって条件づけられている。子どもたちは両親のもとに誕生し、親のケアのもとで成長し、親や兄弟と共に寝起きし、家族の家業を見て過ごし、成長とともに家族の仕事の役割を分担して行う。こうした生活を通して、家族のメンバーとしての決まりや秩序を身につけ、やがて家族の一員として役に立つ人間に成長する。この過程で、家族の一員としてやって良いこと悪いことをわきまえ、

家族の期待に応える人間になっていく。ここでは、家族の仲間として生活することを通じて、子どもは大人になっていく。これを昔からしつけと呼んだ。つまり家庭生活という社会生活が子どもの人間形成を行っているのである。家庭によって成し遂げられるこの人間形成という営みは、そのプロセスや、どんな働きかけで家庭の人間としてふさわしい存在になっていくのかは明らかではない。でも、家庭の毎日の生活を送る中で、いつの間にか様々な経験を積むことで家庭のメンバーとしてふさわしい人間になっていく。

こうした家庭生活を通して、未成熟な子どもがやがて家庭を支える大人になっていく。これを「人間形成」と呼ぶとすれば、その後の時代の子どもの成長のシステムは、この家庭教育をモデルとして成立していると考えることができよう。

2．伝統芸能の内弟子制度における人間形成

前近代社会の人間形成の場として丁稚奉公（従弟奉公）というシステムがあった。現在このシステムは失われつつある。しかし、伝統芸能の内弟子制度は基本的にかつての徒弟制度と変わりない。「内弟子制度における教育的意図性は、学習者の学習過程を条件づけている生活に学習者を参入させるという点に強制力を発揮するのである。『わざ』を学ぶものは弟子入りという形で師匠の生活と同じ生活に強制的にしばりつけられる。新入りは、師匠から稽古をつけてもらうことはまずない。来る日も来る日も師匠の身の廻りの世話とか、師匠の家の掃除とかを強制的にさせられる。それは師匠の生活スタイルに従うということであって、厳密には、学習過程ではない。いいかえれば、師匠は、弟子を自分の生活スタイルに参加させても、学習の時間を設定してあげるということはしない。その生

活スタイルを自己の学習過程に転化するかどうかは、学習者の自主性にまかされている。」[5)]

こうした徒弟制の集団と遊び集団の共通の特色について筆者は次のように述べたことがある[6)]。

（1）成熟者（親方、兄弟子）と未成熟者が同じ生活空間で生活を共有する。未成熟者は親方の家に住み込んで生活を共にする。

（2）成熟者（親方、兄弟子）で生産能力＝生活能力のある者は仕事に参加するが、未成熟者は参加が許されない。ただし、仕事場の環境整備や仕事に参加するための準備作業の手伝いの仕事をする（掃除、片づけや成熟者の身の周りの世話）ことによって、成熟者の仕事ぶりを観察することが可能になる（みそっかすの役割）。

（3）成熟者が偶然的に未成熟者に教授することもある（機会教授の成立）。

（4）親方を頂点とし、新弟子に至るまで、身近に学習すべきモデルが、同一空間に存在している。

（5）新弟子は親方の家で共同生活をしながら（4）のモデル系列をカリキュラムとして何年かを経過することで仕事への参加の機会が用意される。

（6）未成熟者は、親方の家に住み込んで、集団生活の規範から学習し、さらに仕事遂行の規範や知識・技能を学習していく。我が国で徒弟関係に入ることを行儀見習いに行くという言い方がされたのは、こうした学習のシークエンスがあったからである。

（7）親方のもとでの集団生活を通じて技能を学ぶだけではない。そこでは、生活集団の一員としての集団規範を学ぶのである。そしてこの集団規範は、それより大きな社会の諸規範とも共通性があるので、この規範の習得は一仕事人としてだけではなく、社会人としての人間形成の過程ともいえる。（傍点、改行、引用者）

内弟子制度は、上述の内容からもわかるように、家庭における人間形成のやり方を模倣したものということができる。ここからわかることは、集団生活の日常経験が望ましい人間を形成するということである。

3. 寄宿舎制度と人間形成

「人間形成」というイメージを具体的に実現する場として家庭がその原型であること、さらにそれを祖型にした内弟子制度について述べてきたが、ヨーロッパでもこうした伝統は古くからあったと考えられる。ヨーロッパの中世大学において、ボローニャ大学が創設されて以来、ユニバーシティという言葉は、ウニベルシタスというラテン語に由来するようにボローニャ市外から入学してきた学生たちの生活保障や権利を擁護するための学生たちのギルド（職能組合）に由来するものであり、パリ大学の場合は、ローマ法王庁に対抗するための学僧たちと学生たちとのギルドであったのに対し、カレッジという言葉は、学生や教師たちの学舎を意味したのであった。今でも、オックスフォード大学やケンブリッジ大学では、学生たちは、このカレッジに所属し、そこで学生生活を送り、講義を受けるだけでなく、チューター制度によって、新人教師（学生の先輩）から個人教授を受けたり、定期的に教授と学生たちが一堂に会して夕食をとるという習慣があり、この伝統はグラマースクールにおいても継承されてきている。ベルリン大学が学術研究の場としての近代大学の性格を確立して以来、この伝統はロンドン大学の創設へと継承された。その影響は最も古い伝統を誇るオックスフォード大学やケンブリッジ大学にも大きな影響を与えたが、それまでこの両大学は、教養人や僧籍を目指す人々のための人間形成の場であった。そしてその基本はこのカレッジ生活にあったといえよう。

19世紀の末、セシル・レディによって設立されたアボッツホルムの寄宿舎学校は10歳から19歳までを収容する少人数教育で、戸外でスポーツや作業を集団で行う生活共同体的な学校であり、この種の学校は、ドモランによって1899（明治32）年に創設されたローシェ学校やリーツの田園家塾などがある。こうした共同生活による教育のスタイルはイスラエルのキブツ（集団農場）における寄宿学校へと広がっていった。

こうした学校の特色は、共同生活や共同作業を通して「人間形成」が行われるという家庭教育における「人間形成」モデルの発展とみることができる。そしてそこでは寮長（舎監）の役割と権限は絶大であった。寄宿舎における生活の規範は先輩であり、その寮の舎監であったからである。そうしたモデルとなる人間をみてまねたのである。人間形成という目的のイメージは、共同生活という具体的なものとして捉えられていたといえるのではないだろうか。

4．近代学校の成立と人間形成

近代学校の成立は、当初「人間形成」という理念を含んでいたのであろうか。近代学校の始まりをどこに置くかで、その答えは変わってくるかもしれない。しかし、近代産業社会の成立に伴って生まれた産業革命期の助教法といわれたベル・ランカスターシステムなどは、マニュファクチャー制度を模して、できるだけ多くの働く労働者を養成するための方法であり、この助教法は、一度に効率的に3R（読み・書き・算）を教える手立てであった。それゆえ望ましい人間を養成するという「人間形成」の理念とはほど遠いものであったといえよう。しかし、J.F. ヘルバルトによって、近代教育学が構想されて、その考え方が学校教育に影響を与えるようになってからの学校教育は、理念の上では「人間形成」を標榜するようになったといえよう。ヘルバルトは、教育目的に「強固な道徳的品性」を掲げたし、教授という活動も「陶冶」(Bildung) 的でなければならない、つまり、教授 (教えること) を通して人間形成を図ることを「教育的教授」=陶冶といい、それが本来の教授の姿だと主張したのである。それだけではない。教育はこの教授と訓育の二つの働きによって成立すると考えられるようになったのである。教授は教育内容を教えることを通して人間形成を達成するのに対して、訓育 (Erziehung) は直接子どもの情意に働きかけて人間形成を図ることだとされるようになったのである。戦後、アメリカの教育思想の影響を受けて、学習指導と生活指導の二つの領域によって学校の教育活動が展開されることになった。しかし、東欧やソビエトの教育学の影響が日本に及ぶと、再び、教授と訓育という概念が使われるようになった。こうした教授学の考え方はそもそも規範的性格を持つものであり、一種のあるべき論であった。そしてこの規範は前述のように、家庭教育や寄宿学校のように、子どもたちの生活が土台にあると思われるのである。特に訓育は学校生活によって形成されるとされるのである。生活指導という言葉はそれを指している。

しかし、現実はどうであったであろうか。結論をいえば、かつての家庭教育や寄宿舎学校のように共同の生活がない限り「人間形成」という理念は具体的なモデル (人間) がいないので、実体を喪失し、理念が単なるスローガンになっていくのである。ヘルバルトは教授 (学習指導) は教育的教授 (陶冶) 的でなければならない、つまり、人間形成的でなければならないと主張したが、この点について筆者は教育的目的と教科目標との関係を論じる中で次のような趣旨のことを論じた。「人間形成」の目的をより具体的に論ずるということは、「……のような人間になってほしい」という形で、具体的なモデルをイメージとして構想し、そのようなタイプの人間の生き方をまねるという形で考えることである。一方、毎日の授業で行うことは、特定の教科の内容を教えることである。例えば、国語の授業だとしよう。それぞれの教科には、教科目標があり、個々の単元には、教科目標に関連する下位目標が設定されている。例えば、単元の対象になっている「作品の文意をつかむ」という単元目標を学習するということが授業で目指される。このことと、先の人間形成の目的とは、論理的には全く関係はない[7]。国語において一定の能力を形成することと、それを通してどんな人間になってほしいかという議論とは直接的に連結しない。だから、教科担任制をとっている中等教育の教師（中学校・高等学校）にとっての関心事は、仮にクラス担任になったとしても学生一人ひとりの成績であって、彼らの人間形成といったことはほとんど関心がないということなのである。教師の日常の生き方を生徒がみてまねる必要はなく、教師は知識を伝達するだけの存在になるわけである。だから、学校において、あるクラスでいじめやそれによる刑事事件の責任を問われても、学生たちの日常についての情報をあまり持っていないので、責任のある答えができないのである。言い換えれば、学生の人間形成ということに自らの教育活動がどう関わっていくのかについての具体的イメージが持てないのである。学校の教科指導が教育活動の中心になり、その内容が将来、専門知識の習得に必要な内容になればなるほど「人間形成」といった目的とは無関係になり、高等学校で歴史の授業が受験に関係ないからといって法的には指定されていても端折ってしまうことも行われるのであり、教科学習が「人間形成」と無関係になっていることの証拠である。

こうした状況は、学級担任制の小学校教育にも波及しつつある。

特にこの現象は高学年から低学年へと移行しつつある。高学年の場合、中等教育への接続という点で、専科制が導入され、担任教員の学級への影響力や関与は日常的に希薄にならざるを得ない。そして今や、各クラスの教育活動には、英語の非常勤講師、学校カウンセラー、総合学習のための学外講師等、多くの役割の人が学校に参加するようになっている。さらに、当初の事例にもあるように、学習遅退児に対しては、教師志望の学習指導員なども学級に参加している。このような対応は、教育活動の多様化に応じた処置ではあるけれども、特に学習指導員や、カウンセラーの場合、学級の個別児への対応であって、担任との緊密な連携や共同作業が行われるケースは少ない。いきおい、役割分担的、分業的に行われるケースも少なくない[8)]。担任教師が学級活動を集団的に展開したり、クラス集団を意識した学級経営に関心を向けることが益々困難になりつつある。

このことは、以下のことを示している。これまで、学校教育が教授と訓育の両面によって、あるいは、学習指導と生活指導の両面を通して実現されるといった教授学（教育方法学）の建て前が今や崩れつつあるということ。つまり、毎日の教育活動は学力中心の授業活動を中心に展開され、そこでは子ども一人ひとりの学力に応じた対応に迫られ、クラス集団に対する学級経営的な配慮として求められるクラスの人間関係づくり、学級づくりへの働きかけが欠落していく。そして今や、学習指導と生活指導のバランスは崩れ、生活指導はその独自の領域性を失いつつある。そしてそれは、「生活指導」概念が学校教育において支配的な原理として支持された時代において、領域的でありかつ機能的な概念であった時点から、「生徒指導」概念へ移行し、やがて「学習指導」概念が拡大し、「生徒指導」が学習指導を補完する役割へと変化してきた現代の学校教育への推移に見ることができる。わかりやすくいえば、学校において「人間形成」を目指して集団性を育てるとか、社会性を育てるといった教育活動よりも、教科指導において子どもの学力を育てることに学校の教育活動の中心が推移した過程と照応しているのである。

戦後の山びこ学校における生活綴方教育の実践は、作文の指導を通じて自分たちの生活を変え、それを変革するための考える力と実行力を養うという意味では、「生活」についての学びであり、「生活」を経験することを通じて「人間形成」をすることを試みたものであった。

しかし、1958（昭和33）年の学習指導要領改訂によって「生活指導」が「生徒指導」の概念に変更されると、「生徒指導」は個々人の発達を助成する機能的役割になり、かつての「生活指導」は、特設道徳、特別活動、総合的学習の時間等に分割され、「生活」を通しての「人間形成」といった戦後直後の教育思想的基盤が失われた。言い換えると、生活（共同生活）のリーダーをモデルとして、一緒に共同生活を体験しつつ生活から学ぶという体験は失われていったのである。

いずれにしろ、現在、学校生活では、学校づくりとか、クラスづくりといった実践は次第にやりにくくなりつつある。「ゆとり」の教育が批判の対象となり、総合的学習の時間が減らされ、学力教科一辺倒になりつつあるのも、その要因はクラスづくりなどに見られた学級経営意識の減退にある。

他の論文の中で指摘した点であるが、総合的学習の時間を設定した目的は、

（1）自ら学び、自ら考え、主体的に判断し、よりよく問題解決する資質や能力を養う。

（2）問題の解決や探求活動に主体的、創造的に取り組む態度を養う。

（3）教科で確かな学習に支えられ、それを基礎としながらその進化発展に結びつけること。

というものであった[9)]。

我が国の教育要領の方針は、我が国の経済発展とともに、知識量を増加させ、子どもたちにより多くの知識を習得させようという方向を目指してきた。そしてその都度、いつも反省点として挙げられることは、詰め込み・暗記中心の学習を子どもに強いているという点であり、考え、問題解決し、主体的に行動するという目標は、いつも先送りにされてきているという反省が語られており、戦後、アメリカ教育使節団の教育勧告の置きみやげのように課題とされてきたのである。

1989（平成元）年の「ゆとり」の教育への変換は、生活科の創設に始まって、子どもに豊かな経験を保障しその発展として総合的学習の場こそ、こうした長年の課題が具体化するはずのものであった。

しかし現実には、テーマ設定という点で教師指導型にならざるを得なくなり、やがて、教科指導と区別が難しいものに変節していかざるを得なくなっていったのである。これも、学級活動が教師の学級経営によって豊かに展開していないところでは、子どもたちによる自主的、主体的問題解決の学習が学級の集団活動として展開することができないことにその主な要因があるのである。学級の中での集団生活的体験の欠落は、現在、教育活動の分業化、細分化により、担任の学級経営能力の低下と責任意識の欠落によって益々大きくなっている。

こうした現象は、より広い歴史的な視点から見れば、学校が持っていた生活体験の欠落ということができる。私はこの章において、家庭教育の生活体験的特色が「人間形成」という理想に現実味を与えたと述べた。この伝統は、封建時代の徒弟教育や近代の寄宿学校に継承されたと述べた。近代学校になって寄宿学校は失われていったが、学校教育のカリキュラムを構成する教授と訓育、あるいは学習指導と生活指導という枠組みの中で、訓育とか生活指導という側面に「人間形成」の意味を引き継ぐ要素が残されていると考えられる。つまり人と人（教師と子ども、子ども同士）が生活経験や人と人との直接的関わりを通して形成し合うということである。

しかし、前述のように、現代の学校では、教科指導が中心になり、担任の役割が後退し、英語などの非常勤講師が入り、学習遅退児には、学習指導員が入り、カウンセラーが入り、子どもたちが学級として集団で共同生活を営むという色彩は薄れつつある。学校は教科を学ぶところであり、その学習活動を助けたり、学習活動を脱退したときにはカウンセラーが入るというように、学校は今や、学習活動のモノカルチャーと化してしまうという傾向がある。冒頭に紹介した杉並区における塾と学校との協力関係もその象徴的現象かもしれない。学校教師の理想モデルは塾教師にあるといった風潮は今の学校の姿を暗示しているかのようである。ここには、「人間形成」といったイメージはない。近代の学校は学習塾に近くなっていくのかもしれない。最近は、学力の遅れた子のための学習塾があると聞いている。やがて、学校も、学力の差によって類別されるような種分けが当然となるかもしれない。考えてみれば、こうした今の学校の現状はフランスの哲学者、ミシェル・フーコーが既に予言した姿を鮮明にしつつある。即ち、近代学校の機能は、未成熟な若い世代を学校という空間に一定時間拘束し、教授という一方向的コミュニケーションを通して、一人ひとりを個別化し、等質化（文字や数字を教えられるべき、未熟、無知な存在として）し、評価し、序列化する（評価する）働きを持つといったのである。

近代の学校は本来、このようなものでしかないのであろうか。

「人間形成」は我々教育関係者が「学校」に寄せた幻想でしかなかったのであろうか。我々が「人間形成」の理念を考えるとき、再び「家庭教育」の原型に戻るべきなのであろうか。

5．現代の家庭や地域は人間形成機能を果たしうるか

結論を先取りするなら、現代の家庭が現在のような生活形態をとる限り、現代の家庭に「人間形成」機能を期待するのは不可能である。「人間形成」機能は、前述のように共同生活体験を前提とする。比喩的に一つの事例を考えてみよう。例えば、1ヶ月かけて登頂困難な山登りに挑戦するチームを想定してみよう。そしてこのチームのメンバーは、全員健康であるが、山登りの経験のない未熟な若者を多く含んでいると仮定しよう。このチームが山登りに成功するためには、克服しなければならない多くの難題を含んでいるだろう。

まず、チーム全員が長い団体旅行で仲良く生活するための、

1. 日常生活の役割分担を果たし、集団生活が集団として生活できるようメンバー相互の役割を熟知し、お互いに迷惑をかけることなく役割を全うする力を養成しなければならない。自分の役割を果たすことは他人の役割の充実に結びつくことを学ぶこと（自分が水を汲んでこないと、炊事ができない）。
2. 集団行動を乱すことが命取りになりかねないことを学ぶ。
3. リーダーの判断が、自分たち、集団の運命を握っていることを学ぶ。
4. リーダーの気候の変化の判断と自分のチームの行動との関係を学ぶ。
5. 登山する道程とその周辺の変化について学ぶ等、生活する中で多くの失敗を通して最適の方法を学ぶ。

こうしてチームのメンバーは、リーダーが集団の人間関係をまとめる上でも、登山チームを率いて進路を進む場合にも、様々な天候の変化に対してとった判断の正しさなども、日頃体験することによって、やがてリーダーを登山の名手として尊敬し、身近にいてリーダーの身の振り方を学び、自分も将来、リーダーのような立派な登山家になりたい、いやリーダーのような人間になりたいと思うようになる。こうした姿勢が、この集団のメンバーの中に生まれ、立派に登山チームのメンバーとしての役割がとれるようになっていく。こうした過程こそ、「人間形成」の過程と呼ぶことができる。家庭生活の中でも、親がそこで育つ子どもによって登山チームのリーダーのような役割が演じられたら、家庭の「人間形成」機能は十分に果たされたということになる。

しかし、現在の家庭は上述のような機能は今や果たせなくなっている。まず、第一に親の生産活動への参加の場所と消費生活の場が離れてしまっている。親が生産活動の場でいかに責任ある役割や自信に満ちた生活態度をとっていたとしても、そうした姿を子どもはみてまねることはできない。一方、家庭生活は、消費生活化し、その様式は省力化されているので、未成熟の世代が将来生きていくためのモデル行動にはなり得ない。最も労力を要する食事を用意する行動さえも益々既製品化されており、教育や娯楽などの家庭の精神文化も、家族のメンバーが積極的に協力し、創造していくものとはなっていない。むしろ、賃労働のストレスから解放され、リラックスし、癒しを求める場にしかなっていない。だとすれば、そこは家庭の「人間形成」が成立する場とはいえない。親や兄や姉の家庭での姿は、生きるための努力を見せる場になっていないからである。癒しだけを求める大人たちの姿は子どもが将来、生きる努力のお手本となる存在とはなり得ないからである。

6．「人間形成」の場をどこに求めればよいか

「人間形成」という営みは、現代においては、もはや、どこにも見られないのだろうか。「人間形成」という営みには、次のような特色が見られるはずである。

1．年長者（経験者）と未熟者との長期的共同生活が見られること。
2．両者は共通の目的と共通の生活を送っていること。共通の感情（エートス）を持っていること。
3．未熟者は年長者にあこがれを持っていること（尊敬していること）。

以上のような現象を今教育現場で見出すことは、極めて少なくなっている。一つ挙げられるのは、野球やサッカー等をやっている若者たちが、指導者を中心に合宿をしながら目標を達成した事例だ。選手たちは、指導者の指導力を信頼するだけでなく、人間的にも指導者を尊敬しているケースは少なくない。指導者も、選手と寝食を共にして、スポーツの道を進んでいる事例である。

もう一つの例は、遊び中心の保育を実践している保育所や幼稚園の場合である。ここでは、睡眠は共有しなくても、一日の多くの時間を共有し、幼児の生活やカリキュラムはゆったりと幼児の生活のペースに沿って展開され、幼児の活動も遊び中心であり、幼児たちの活動のペースに沿って展開され、保育者は、生活においても、遊びにおいても幼児たちに言語的に指示命令するといった形ではなく、保育の活動がモデルとなって、活動参加型の学習がみてまねるという形で展開されるとともに、手あそびやダンスのように保育者と幼児の間で相互的な身体的、言語的コミュニケーションが成立する（同じ「ノリ」で活動が展開する）といった生活の中では、前述のような「人間形成」が成立する可能性が高いといってよいだろう[10)]。

ちなみに、保育士や幼稚園の教師になりたいという学生の中に、幼稚園や保育所時代の自分の恩師の影響を受けたという学生が少なくなかったことは、そこに「人間形成」的作用が働いたということがいえるのではないだろうか。

もし、現代において教育に「人間形成」を求めようとするならば、既成の家庭や学校に「人間形成」を期待することは、もはやできない。そこに、教育者（教師）と子どもの共同の生活を創造し、そこで教師は子どもに背中を見せながら、子どもと共に生活の中で「ノリ」を合わせるような毎日を創造する場に家庭や地域や学校を変えていく必要があるのではないだろうか。

1）細谷恒夫『教育の哲学：人間形成の基礎理論』創文社、1962年、pp.6-7
2）科研費報告書（代表者　小川博久）「学校の余暇時間における校庭での遊び」、2005年
3）日本教育方法学会編『現代教育方法事典』図書文化社、2004年、p.287
4）Natorp, P. , *Sozialpädagogik* 5. Aufl, Stuttgart, 1922, S94
5）小川博久「『遊び』の『伝承』における教育機能と近代学校における教育機能（教授—学習過程）の異質性：伝統芸能の内弟子制度における意図的『伝承』との比較を通して」教育方法学研究10号、1991年
6）小川博久「遊びの伝承と実態」無藤隆編『新・児童心理学講座第11巻（子どもの遊びと生活）』金子書房、1991年
7）小川博久「教科と人間形成—教育における「目的」の構想と「教科」の構想としての関係—」井坂行男編『人間形成—教育方法的観点から—』明治図書出版、1977年
8）前掲2）
9）小川博久「総合的学習成立条件としての集団の意義」聖徳大学研究紀要人文学部第16号、2005年
10）小川博久『保育援助論（復刻版）』萌文書林、2010年

3

遊びの意義の再考

―教育とは何だろう―

財団法人福島県私立幼稚園振興会
「研究紀要」第20号（2008年度）

はじめに

幼児教育では遊びの重要性ということは、耳にたこができるほど聞かされている。文部科学省の幼稚園教育要領でも遊びの大切さは謳われている。将来、保育者を目指す学生も、遊びについて具体的なイメージを持てなくとも、試験問題の解答には、遊びは幼児の発達にとって欠くことはできないといったことを、書くことができる。つまり、幼児教育の世界で、遊びが重要であるという言説は誰も疑う余地もない陳腐なまでに当たり前の常識となっているのである。

しかし、その一方で、今まさに幼児が遊んでいる、これこそ遊びの真の姿だということを指摘できる人はさほど多くはない。なぜなら、そうした幼児の姿を目にすることが少なくなっているからである。皮肉なことに、幼児に数学や算数のドリルをクイズ形式でやらせてこれを数あそびなどと称して涼しい顔をしている大人さえ現れている。保育者主導の一斉保育を基本にしている幼稚園の園長が研修の場面では、「幼児に遊びが大切です」などと語る場面が見られるのである。

そこで本稿では、幼児の遊びについて改めて再考してみたいのである。そしてその目的は、教育＝学校教育と考える現代の常識の中で人間にとって「教育」とはどういうことをいうのかを新しい角度から考えることである。

1. 人間が「生きる」ということ

今、私という人間は「生きている」といえる。しかし、私が誕生した瞬間からこのように生きていたわけではない。私の両親が出会い、結婚し、性的関係を持ち、母が妊娠し、私が誕生したのである。

私が、「生きる」ことになったのは、それゆえ、私の意志ではない、私の両親の意思と偶然が重なって、私が「生きる」という営みが始まり、今に至っているのである。言い換えれば、私が「生きている」という事態は、私の両親が始めた夫婦生活とそこから生じた偶然によって成立したのである。両親が結婚しても、私は生まれなかったかもしれないのである。つまり、私が誕生時からしばらくは、私の生は自ら生きるというより、両親や周囲の条件によって「生かされていた」のである。特に幼児期は、自力で生きることは不可能に近く、親やその他の養育者によって生かされていたのである。では、幼児自身の生きる力は全くなかったかといえば、そうではないだろう。時々、北朝鮮で、親に捨てられた子どもたちが、食料事情の悪い厳寒の路上で、物貰いなどをして生きている姿を見たりすることがある。また、やはり厳寒の冬をモンゴルの首都ウランバートルの街のマンホールの中で集団で生き抜いていた子どもの姿などを見ることができる。それは、一見遊んでいるようにも見える。大人のように一定の労働をしているわけではないからである。でも死ぬことなく生き抜いている。それは、庇護する大人が不在になっても生き抜く力を子どもたちが持っていることの証左である。

以上の事実から考えれば、親が我が子を育てるということは、子どもが自力で生きられるようになるまで、大人たちによって子どもが生かされていることであり、子どもの側からすれば、自分が自力で生きることができるまでは、親や大人たちによって生かされながら、少しずつ自分の生きる力を育てていくことであるといえる。そしてこの生かされつつ、生きることを身につけるということが、親から見れば、広い意味で教育する（育てる）ことである。それゆえ、教育するということは、現在多くの親が学校で行うことのように狭く考えがちであるが、食べて、寝て、動けるように育つこと自体、一方から見れば教育なのである。なぜなら、食べる、寝る、動くこと、つまり生きること自体、大人たちの生きるための技術や様式を学ぶ＝みてまねることで成り立っているからである。一般に食べて、寝て、動けることなど、本能のなせるわざであって自然に身につくように思っているが、それは全くの誤解なのである。確かに、人間らしく食べたり、寝たり、動いたりする潜在能力を遺伝形質として持って生まれていることは否定できない。しかし、その潜在力が具体的形に現れるためには、みてまねるという学習が行われるのである。このみてまねるという学習は、人間のみならず鳥類のような動物でも、幼鳥が巣立ちを迎え、巣の中で羽をバタバタさせながら、繰り返し、巣から飛び立つ練習をしている猛禽類の映像をテレビで見た人は少なくないだろう。幼児であれば、二足歩行の潜在力を持って生まれてはいるが、歩行可能なまでに機能的には発達した身体機能も、そのままでは歩くという行為を実現できない。支える力なしに数メートル歩くためには、ヨチヨチ歩く練習を繰り返すのである。この自発的練習の繰り返しを試行錯誤というのである。

この試行錯誤という営みは、身体が生きるために機能を働かせるには、欠かすことはできない。つまり、未成熟な身体を持つ存在＝未だ大人になっていない存在、あるいは人間のように、技術を発展し続ける存在にとっては、避けて通るわけにはいかない。なぜなら、新たな身体技法を身につけることが一人前として生きるための条件だからである。最近の霊長類学の研究では、チンパンジーなどでも同じ努力がなされているとのことである。

人間が試行錯誤（try and error）を行う場合、みてまねる対象（model）が存在する。モデルとなる対象を見て、試行錯誤が始まる。一般にこれを観察学習（observation learning）という。

この観察学習というのは、「みてまねる」ことである。例えば、自分のまわりの人がテーブルの上のスプーンに手を伸ばして掴んでいるのを見たとしよう。そこで自分もこの動きを観察学習を試みたとしよう。この「みてまねる」が成立するためには、次のプロセスが必要になる。まず他人の右手がテーブルのスプーンに伸びる姿に注目することが必要である。その際、スプーンに伸びている手は自分の手ではないことに気づくことである。つまり、自分の右手はまだ伸びていないことがわかっている。次に、自分がスプーンをとろうとするとき、他人の右手に相当する自分の右手が分別でき、自分の右手が動くとすれば、あの右手のような動きになるということをイメージできることが必要になる。これを他人の行為の特徴に照らして自分の行為をモデル化できることであるという。次にこのモデルに合わせて、右手を伸ばしていき、スプーンにさわったら、次にぎゅっと握るという行為のつらなりを繰り返し試みるのである。「みてまねる」学習の際のこの行為のつらなりを成功するまで繰り返し試みることを「試行錯誤」というのである。幼児の遊びとして一般に認められているのは、この試行錯誤なのである。

2．生きることと幼児の遊び

以上のことから、幼児の遊びは、大人によって「生かされている」状態から、自ら生きようとする最も基礎的な行動が観察学習であり、ここに含まれている試行錯誤こそ「遊び」なのである。一般に「遊ぶ」という言葉には、他者に強制されてやる行為というイメージはない。自ら好んでする行為、自ら楽しむ行為という印象がある。遊びについて西村清和はブランコ遊びを例にとり、ブランコの楽しさは「遊動」にあるといった。ブランコの行ったり来たりして、往還する宙づりの運動の中に楽しさがあるのだという。ブランコが上昇するとともに、緊張したり弛緩したりする運動が心地よさを生み出すのであり、緊張したかと思うと解放がやってくるという繰り返しの宙づり感がブランコの楽しさであるという。同様に、幼児が楽しむものにイナイ・イナイ・バーがある。これも、養育者が隠れたかと思うと現れるという繰り返しの宙づり感が幼児の適度な緊張と解放のリズムを生み出し、楽しさと笑いを生み出すのだと考えられる。同様に幼児のヨチヨチ歩きなども、きちんと歩けるようになるまで、幼児は自ら好んでこの試行錯誤を繰り返す、別に親から命じられたわけではない。幼児にとってこの行為の小さな成功と失敗の繰り返しは、緊張と解放の連続であり、完全には歩けないが、ゆえに、小さな達成感を求めての宙づり感であり、それゆえの楽しさなのである。それは、昔、我々が、自転車を三角乗りをした体験や現代の子が一輪車に完全に乗れるまでの練習の楽しさに通ずるのである。もちろん、このことが遊びに通ずるのは、成功不成功の割合が半分くらいに達成したときからの心境ではある。こうした楽しさがあるからこそ、人間は、様々な技能獲得において自主トレを好んでやるのである。試行錯誤に含まれる楽しさこそ、遊びに通ずる基本的特質なのである。

3. 遊びという学びが成立する条件

幼児が誕生後、最初に行う遊びは、スプーンを手にとりそれを口に持っていく行為を繰り返しやることだとJ. ブルーナーはいう。これは、偶然に発生したように見えるけれど、この行為が成立するには条件があるのである。幼児は養育者（母親や父親、その他）に、スプーンで離乳食を食べさせてもらう経験から前述のような遊びを発生させたのである。言い換えれば、幼児の遊びは、大人たちの生活上の行為をみてまねることで生まれたのであるから、そうしたみてまねる対象がなければ、遊びは成立しないのである。みてまねる対象をモデルというとすれば、モデルの存在こそ、遊びという学びが成立する条件なのである。この遊びを成立させる（モデル）条件にふさわしい要素とは何であろうか。以下のことが考えられる。

1．幼児の日常生活の周囲にあって、日常的に繰り返されている行動であること。
2．幼児の日常生活に関わりのある人間の行動であること。
3．幼児と関わりのある人間とは、幼児と共に生活を共有するがゆえに、その人間と幼児との間に、身体的同調性や応答性が豊かであること（親しい人間関係が築かれていること）。

4．幼児は、その人間の行動にあこがれを感じていること

この「あこがれ」るということについて、毎日新聞の余録に次のような記事があった。(2008（平成 20）年 12 月 11 日（木）朝刊)

「この夏亡くなった国語学者の大野晋さんによると、『あこがれ』の古形『あくがれ』の『あく』はことやところを指し、『かれ』は離れて遠く去ることだ。自分のいる場所を離れて遠く去ることだ。自分のいる場所を離れ、うきうきと歩き回るのが『あくがれ』である。現実の自分は力不足で身動きできないが、心だけははるか遠くの望むところを求めてさまよい出る。そんなさまを示す『あこがれ』には、意のままに動けない人間のはかない思いがついてまわると大野さんは述べている（日本語の年輪）。しかし、ノーベル賞授賞式を前に会見した受賞者の一人、益川敏英さんは『若者が育つ原動力は『あこがれ』です。これがあれば、言われなくとも努力する』と語った。(以下略)」遠い夢や理想へのあこがれこそが若者の意欲

を盛り立て、潜んでいる能力を引き出すというのである。

筆者もこれまでこの記事を待つまでもなく、この遊びの大切さを語る度に、この「あこがれ」の重要性を語ってきた。しかし、改めてノーベル賞学者の益川敏英の発言を通してこの言葉が脚光を浴びたことはうれしい限りである。

そして筆者なりに、この「あこがれ」と学びとの関係を語るならば、「あこがれ」の心情は、「あこがれる」他者へと一体化したい想いがまず自分を支配するのである。私と共に研究を共有している岩田遵子のキーワードを借りれば、「あこがれ」の対象と同調したい(「ノリ」を共有したい)という想いが一方にあるのである。しかし初めのうち、その一方で、大野晋の解釈のように、「現実の自分は力不足で身動きできず、さまよう」だけなのである。ところが、益川のいうように、この「あこがれ」こそが意欲を盛り立て、努力を引き出すのである。言い換えれば、あのようになりたいという心情は、単に、心情に止まらず、自分の身体のリズム(ノリ)が「あこがれ」の対象に向かって動き出したくなるのである。しかし、一方で、自分の力量が遠く離れていることを自覚する。だから、「意のままに動けない人間のはかない思いがついてまわる」のである。しかしこの「あこがれ」は既に、身体のリズム(ノリ)が「あこがれ」の対象に引きつけられてしまっているので、自分はできないという思いを振り切って、「あこがれ」の対象に近づく努力が始まるのである。益川のいうように、これが「みてまねる」ことつまり、試行錯誤の始まりなのである。つまり、モデルの「ノリ」には上手にのれないものの、既に身体は動き出しているのである。

とすれば、我々大人は「あこがれ」の対象になっているか、みてまねる対象となるように魅力を子どもたちに示しているか、そうした「あこがれ」が成立するような大人と子どもとの関係性をつくれているかが問われなくてはならない。そして子ども自らが意のままにならない居心地の悪さを乗り越えて動き出すのを待つのである。

5．遊びと学ぶ意欲との関わり

先に挙げた余録の続きの部分は、この問題を考えるための手がかりになるので引用しよう。

「小学４年と中学２年を対象とした理数学力の低下が懸念され、ようやく低落傾向に歯止めがかかったかたちである。だがそんな中で目を引くのが、中２の学習意欲の低さだ。『勉強が楽しい』と答えた割合は理科で 48 ヶ国・地域中ワースト３、数学でワースト６である。特に理科は国際平均を上回っただけに、中学になって意欲の落ち込みようが目立つ。中２理科の『日常生活に役立つか』との問いにイエスの割合が最低だった日本だ。日々の学習をはるか遠くから活気づけ、心浮き立たせる『あこがれ』の不足が心配である。日本人学者のノーベル賞受賞の光景が少しでも多くの心に刻まれるように願う」

「あこがれ」の心情が子どもの学習意欲の向上につながるという余録の論旨には、基本的に賛成であるが、子どもの「あこがれ」を育てるためには、ノーベル賞受賞者の出現もさることながら、大人と子どもの関係性自体に目を向ける必要があると筆者は考える。なぜなら、ノーベル賞物理学者ならずとも、子どもの「あこがれ」を生み出す大人になりうると考えるからである。筆者は長い間、幼稚園の保育を指導する立場で、現場を訪ねてきた。現在は腰を痛めているので、幼児の遊びに参加できないが、過去、しばしば、園庭で幼児の遊びに参加しながら、遊びを援助する手立てを持ってきた。あるとき、幼児のサッカー遊びに参加したことがあった。私は、幼児とサッカーをするとき、参加できる子は上手な子どもで、できない子、自信が持てない子は、どうしても気おくれがしてサッカーに参加できない。少年サッカークラブなどに参加する子は、シュートキックやスライディングタックルなどを多発し、個人技をひけらかすので、集団サッカー球技を楽しむという形にはならないのである。そこで、サッカーの専門の本を読み、サッカーの本質は、集団でボールを足で奪い合うところにあることを学び、小さく蹴ってボールのやりとりのラリーを続けることで、そのボールを奪い合う集団ができることを学び、私が中心になって、ボールを小さく蹴ってゆっくり前進することを考えた。こうすると身体の小さな幼児たちには、身体の大きな私がボールを小さく蹴って進んでくる圧力に対抗しようと多くの幼児が集中して私に向かってくることで、大変サッカーが盛り上がった。すると終了後、幼児たちの一人が私に向かってこう尋ねたのである。「おじさん、Ｊリーグ？」私は我が耳を疑った。私の技量とＪリーグの選手の技量など比べようもないのだが、３歳児にはＪリーグ選手に映ったのだろう。つまり、この幼児は私に「あこがれ」たのだ。考えてみれば、ヨチヨチ歩きを一生懸命やろうとするのは、その姿を見守る親たちの愛情を浴びながら、早く大人たちのようになりたいとあこがれる幼児の思いがあるからであろう。また、中学生の野球教室を指導する元プロ野球選手へ向ける中学生のまなざしも、休日にキャッチボールの相手を父親に懇願する息子のまなざしも、この「あこがれ」があるのである。

６．世代間の魅力的関係の不在はなぜ生ずるか

子どものみてまねる学習の成立には、子どもが「みてまねたい」と思う大人の存在が必要である。しかし今の時代は、この「みてま

ねる」と思う「モデル」の不在があるのではないだろうか。しかし、チンパンジーの社会や、我々の旧い時代においては、旧い世代の文化は新しい世代へと、この「みてまねる」という働きにおいて伝わっていったのである。教育社会学者のデュルケイムは、世代間の文化の伝承作用を教育と呼んだのである。そして学校は古代ギリシャにおいて成立したが、それはスコラ（余暇）という言葉から生まれた。学校で大人から教えてもらえるのは貴族のように暇、つまり労働から解放された人々であり、学校は、言葉を通して知識が伝えられた場であったのである。学校に行かない、いや行けない奴隷たちは、労働を強いられていたのである。しかし、労働だって、家を建てるにしろ、道をつくるにしろ、作物を育てるにせよ、それなりの知識と知恵が必要である。それらは旧い世代が次の世代に仕事をしながら伝えたのであり、若い世代はその知識や知恵を「みてまねる」ことによって獲得したのである。もちろん、仕事の合間や休息のときなどに言葉で教えることもあったであろう。しかし、多くの場合、大人の、あるいは先輩の仕事をする後姿を「みてまねた」のである。年功序列の社会は、この「みてまねる」という文化伝承を支える土台だったのである。年配者を尊敬し、尊重するのは、自分たちの社会の仕組みや運営の仕方を学ぶ手がかりだったからである。経験の蓄積と知恵は、若い世代には得ようとしても簡単に手に入らないものだったのである。年若い者は、年老いた者に敬意を表し、年上を敬うという習慣は、すべて生きていく上で年上の人の知恵が必要だったからである。言い換えれば、年功序列のシステムや長幼の序というようにタテ社会のシステムは、大人の社会、年上の人をモデルにして「みてまねる」という学習を成立させるために必要なものであったといえよう。

しかし、こうした社会のシステムにはもちろん、多くの問題もある。個人一人ひとりの能力に関係なく、いつも目上の人や、タテ社会のシステムが幅をきかせる。人と人との平等の人間関係が成立しにくいなど、長いものには巻かれろというように、間違っていても上の人に従わなければならない、ということがある。それに対し、現代は民主主義の社会であり、一人ひとりがそれぞれ自分の能力を発揮できるということが建て前になっていて、はるかに進んだ社会になっているかのように見える。しかし、一人ひとりが自分の能力を発揮するには、絶えず研讃を続け、学ぶことが必要である。本を読むこと、研修を受けること、そして「みてまねる」学習も必要であり、そのためには「モデル」が必要である。しかし、現代はその「モデル」が失われつつある時代ではないだろうか。確かに学校では大人がつくり出した莫大な文化、既成の文化を若い世代に伝えようとしている。学校がなければ、現代の文明社会を生んだ多くの先人の足跡を次の世代に伝えることはできないだろう。しかし、その学校に通う若い世代の間に、先人の文化に学ぼうとする学習意欲が減退しているのではないだろうか。いくら大人が躍起になって努力をしても、若い世代の学びの意欲が減退してしまったら、先人の業績は若い人々に伝わらず、若い人の力は豊かにならないのではないだろうか。

若い世代が学ぶ意欲を持ち、先人の業績を懸命に学び、新しい時代の担い手になるためには、学校の学びに力を注ぐだけでは十分ではないのではないか。学校教育のみに力を注ぐと逆に、学ぶ意欲を喪失する結果を生む可能性もあるのである。もし、学校で学ぶ意欲を再生するためには、学校で得られない「みてまねる」学びを充実することこそが必要ではないのか。しかし、既に述べたように「あこがれる」モデルが必要である。「みてまねる」学習の充実には、それを可能にする世代の充実した人間関係が存在しなければならない。言い換えれば、子どもにとって大人が魅力的な人間と映らなければならない。子どもが年長者や大人を見て「あこがれ」を持たなければならない。

こう考えると、まず、現代の大人と子どもの関係の希薄化やそこに良き関係の不在が気になるのである。この問題点が明らかにされる必要がある。

既に見てきたように、「みてまねる」という学びは、「あこがれる」対象が生まれることから始まる。それは、相手と出会い、相手と生活を共有することに始まる。つまり、「あこがれる」対象に出会うこと、それは相手の姿を捉えること、これは単に目にすることだけではない。相手と「ノリ（リズム）」が合うことである。例を挙げよう。親と子のキャッチボールは、親と子の応答であり、リズム（ノリ）の共有である。父の子どもへの投球が正確で、徐々に強い球が子どもに投げられることで、子どもは父への「あこがれ」を強く持つのである。“ああなりたい”と。とすれば、現代の生活は、親と子との間で、家族の間でこの種の出会いが減少している。身体を使った労働を共有していない。また家事労働も共有しない。食事など、家庭内での出来事や行事の共有も少なくなっている。この点から、子どもにとって「ノリ」を共有する機会が少なくなっている。

第一に、家庭生活における省力化や機械化は、家族間のコミュニケーションの頻度、その中でのノンバーバルな交流（身体接触、表情の交流、場の共有）や同調行動（一緒に拍手を打つ、一緒に手をつなぐ等）の機会を奪い、個々人を孤立化させる。ゲーム機をいじる、携帯を扱う、パソコンと向き合う、イヤホンで音楽と向き合う、一人でテレビを見るなど、個別行動が増加する。このことから世代間交流をより困難にする。世代が違うと話が合わぬということが当たり前になってしまっている。

第二に、マスコミの中心が若い世代に限定されることで、若い世代と高齢者世代との格差（文化格差）が益々拡大する傾向が増大する。若い世代の中に、自分のライフサイクルについての想像力が欠落し、20代の女性が自分の以降の人生についての想像力がほとんど欠落していることは明らかである。なぜなら、子どもを産んでも、誕生後にどのような事態が生ずるか、どんな団らんがそこに発生するかについて、スタンバイしておくといった女性も男性も少なく、何とかやっていけると思っている。先輩から子育てについて学び、心の準備をするという姿勢はあまり見られないのである。こうしたことから、世代間のコミュニケーションの貧困化は目に余るものがある。

そして第三に挙げるべきものとしては、消費経済の進行は人々の日常生活の規範はすべてお金によって決定されるという信念を植えつけてきた。我々の生活はお金を払えばすべて手に入る。そしてお金を持つことが、我々の生活を楽にしてくれるという信念を我々に植えつけてきた。しかし、学びによって能力を身につける努力はお金では得られない。たかだか、お金があれば、助けになるだけである。しかし、お金中心の社会は、お金になる努力はしても、お金に代えられない努力を軽視する社会を生んだ。現代の新自由主義経済社会は、一部の若くて巨万の富を持つ人間をクローズアップしている。このところ、アメリカの金融不況は、こうした人間に影を落としていることは確かではあるものの、子どもへのアンケート調査で将来、なりたい職業として会社社長とか医者とかがトップになるということは、学歴の高さが高収入につながるというイメージが、我が国の多くの市民意識であり、それが進学熱をあおり、塾通いを一般化している現実を考えれば、学びはすべてお金を得るための「学び」であり、「みてまねる」学びもすべてお金を得るための努力になっている。「学ぶ」を勉強というけれども、これは強いて努力することであり、結果としてお金や大きな報酬が得られるからだという信念が、一般の常識になってしまっている。しかし、「学び」は特に「みてまねる」報酬はその行為自体であり、楽しいからであり、その頭の中に蓄積しているものをその人自身の身体に積み込まれるから、それが報酬なのだという考えが薄れている。それゆえ、収入がなく、現役でもない、高齢者や退職者など、現在、経済活動に実際参加していない人を軽視しがちな風潮があり、それは高齢者たちの経験の蓄積に含まれる知恵や知識を見失うことであり、そういう人にあこがれる目を若い世代が持てなくなるのである。世代間の関係に「あこがれ」がある社会が失われた要因の最大なものは学校である。当初、教師と子どもとの間にあった良き関係は失われつつある。そこでその点に絞って考えてみよう。

7．現代の学校文化の功罪

現代社会において、近代学校は欠かすことのできない機能を果たしている。近代社会を成立させている政治、経済、産業、文化すべての分野で働く人々の能力は、現代の科学、技術、芸術、文化の蓄積の上で生み出される。世界の先進国といわれる国々は、幼稚園から高等教育までの学問研究と教育の機関を備えており、ここで訓練された新しい世代が毎年、近代社会を構成する諸機関に就職し、それらのシステムを運営する役割を担っている。そしてさらに、新しいアイデアにより、新たな企画をし、システムそれ自体を更新し、発展させている。新しく生み出された知識や技能は、教育機関によって次の世代に教授されていく必要がある。こう考えると、文明の発展は次世代に伝えられなければならないという重圧のために、学校教育への要求は文明が発展すればするほど拡大していく。そのため、先進国になればなるほど、次世代の就学年間は拡張し、今や、大学卒業は当たり前で、大学院の修士課程、さらには、学位修得者の数も年々増大しつつある。こうした学歴重視の傾向は知的早期教育への需要を増大させ、特に貿易立国の国々では、幼児期からの早期教育を求める親たちの声が増大している。特に人口密度が高く、貿易によって国力の増大を願う東南アジアの国々での知的早期教育化は極めて顕著である、こうした傾向が正しいかどうかはともかくとして、子どもが成長して社会人になるためには、学校教育を通過しなければ、という社会的常識は益々今後も強化されていくことが予想される。しかも、学力のレベルを測る物差しが重視され、それが各々の国の知的水準ではなく、産業水準、給与水準を測る物差しとして重用されていくだろう。そしてこの点からの学校や教育界への圧力として働き続けることが考えられる。既にこの傾向は学校生活に現れている。それは、まず第一に学校の時間割の過密スケジュールである。休み時間を短縮化し、かつてゆとり教育のときに、土日を休みにし、学校五日制を施行したが、進学校を目指す私立学校は依然として六日制であった。しかし今度の学習指導要領（2008（平成20）年）から土曜日を学習時間に組み入れたり、ゆとりの時間を英語学習の時間とするといった処置や、夏休みの期間を短縮するという動きも見られるようになってきた。そして、学習成果を学力テストで全国的に公開し標準化していくという動きも見られる。学力テストによる得点化が全国的に実施されれば、公開にしようと非公開にしようと、実施する側の文部科学省も、地方教育委員会や各学校当局も、テスト結果による順位づけが一番気になるはずである。我がクラスが、我が学校が、我が町が全国順位づけの中でどの辺にあるかということが。東京のある地区の教育長がその区の学力テストの得点を上げるために不正を働いたという記事が示すように、全面公開をしなくても、時には、隠蔽する方が、順位づけの論理が実施担当者に漏れることになり、最終的には、子どもを評価づける大人の見方を強化することになるのである。高校入学の大学区制が進学一流校と三流校の区別をいつの間にか確立させてしまうのと同じである。現在、この学力格差は経済格差を反映していることが明白になっているにもかかわらず、社会一般の常識としては、学力格差は子どもの生まれつきの頭の良さの反映であると、思ってしまうような社会的風潮がある。こうして学校や学力テストが生み出す人間能力観は、学力テストの低い子に、「オレ（ワタシ）どうせバカだから」という自己認知を身につけてしまうことも多い。いったいこうした傾向の中で教師と子どもの関係はどうなるのだろうか。少なくとも以上の状況を見る限り、現代の学校教育における教授活動が、「モデル」不在を生み出す最大の要因の一つであるといわざるを得ない。建て前からすれば、学校教師の仕事は、現代社会に必要な大人の文化を次世代に教授する大切な仕事である。そしてこの教授するという仕事は子どもの学びを成立させる最大の手段であることも確かなことである。にもかかわらず、前述の余録にもあったように、中学生において子どもの学習意欲を減退させる要因になっていることが考えられるのである。そしてその要因は、教授という仕事は以下述べるように、教師側の都合で教授活動が展開され、学習者の学習欲求を育てることを第一目標にしていないし、教授するという行為が一方向的であって相互対話ではないという点にある。

教授という活動は、日本では 30 人前後の児童・生徒を対象にして行われるのが普通である。そして教授内容は、年間カリキュラムとして一年間に学ぶべき（教えるべき）内容は決まっている。そしてこの学習過程の進度を決定するのは教師である。この教授内容に対して、同一年齢を原則とする一学年の学級は、学習動機を均一に保持しているという前提で教授活動は展開される。特定の子どもが教師の語る教授内容に理解できないとか疑問があるとかという理由で、授業の展開を阻止することは、原則としてできない。言い換えれば、教師の計画に沿って授業は展開されるにあたって、児童の一人ひとりの立場や状況に配慮するかしないかは一切教師の裁量にあるということなのである。しかも、教師は、一定期間に一定の教育内容を教授するという責任があり、児童一人ひとりの学習動機やつまずきに付き合う責任や余裕はないのである。このことは、教授活動は教師と児童・生徒の相互コミュニケーションを保障するものではなく、一方向性（教師から生徒へ）しか保障しないシステムであるということは、今や通説となっている。しかも、教授活動の結果は、学力テストによって、評価され、序列化され、それは人格として差別される危険も生ずる。そしてその結果は、指導要録に明記され、中学校から高校に行くにつれて、自分の「学力」は、進学などの機会や授業についていけないといった実感や、教師の日常的対応によっても、自ずと気づかされるようになる。それは自分の達成感や有能感を減退させ、学習意欲を低下させる要因にもなってしまう。

さらに、現代社会において、大多数の児童・生徒が進学する状況にあり、進学をめぐる情報はあらゆる方向から、児童・生徒にも、また保護者にも、良い成績で良い学校に進学しないと、将来、良い職業も給料も得られないといった強迫感を与えるようになる。こうした強迫観念は、低年齢の子どもの時代から他の選択肢がないという観念とともに子どもに刷り込まれているのである。こうした状況においては、子どもにとって、教師や親という大人はどんな存在でどのように映るのであろうか。一般論としていえば、子どもにとって、自分たちの側にいる存在とはいえない。学校生活がこうしたシステム的機能をより効率的に発揮すればするほど、教師と子どもとの関係は、相互関係性を失い、豊かな人間関係などとはいえない。ちなみに、小学校の学級担任制は年々希薄になり、教師側も教師と子どもの親密な関係性を必ずしも歓迎せず、1年担任制が増えている。少なくともこの関係を子ども対大人という枠組みで捉えるならば、大人社会は子どもにとってみれば、顔の見えない抑圧システムであり、目に見えない形の重圧である。なぜなら、上述のような現状の中では、教師は子ども一人ひとりと相互的会話をしたり、自分の感情を自由に表出する機会は少ない。教師はひたすら、大人に許されて、子どもたちに許されない、様々な禁止事項があり、児童の自由感を奪う形で教育活動を推進せざるを得ないからである。こうした状況では学校というシステムが全体として効率的に働くことが求められるがゆえに、教師一人ひとりの役割は、無個性となり、お互いに交換可能な役割となり、必然的に子どもにとって教師は顔のない存在になってしまう。それは、多くの若いサラリーマンや若い世代が現在の世相に対して、言葉にならない不満や不充足感を持っているのと同様である。

従って、学級崩壊のクラスの多くは教師と子どもたちとの相互交流の不足からくる教師の指導力不足という形で現れるのである。言い換えれば、具体的な応答や同調といったリズムが欠落するのである。児童・生徒が教師の指示に全く従わない。教師が児童一人ひとりと向き合い、教師の意志を徹底させられないというケースが多い。学校経営者や生徒指導担当の教師が出向くとおとなしくなるけれども、担任だと示しがつかないというケースが多い。言い換えれば、先生の顔が見えないのである。

近代学校の発生によって成立し、その後の近代学校の中での子どもの成長・発達という考え方を生み出したのは発達心理学という学問であった。その「発達」という概念には、二つの要素が含まれている。一つは、やがて到達するであろう最終段階は、近代の成人像であるが、もう一つ大切なのは、それぞれの発達のステージ（場面）という考え方であった。つまり、年齢にふさわしい知的レベル、情緒的レベル、意志レベルが存在するという考え方である。この発達観は大人と子どもの区別を正当化する論拠となった。

しかし、現代の学校生活を見ると、学校生活全体が望ましい大人像を形成するための装置と化していて、子どもという発達のステージ（舞台）を無視しているための準備工場となってはいないだろうか。学校自体が早期教育化していないだろうか。大人に対して最も強く子どもの権利が叫ばれているのが現代である。現代の学校をつくった大人たちは、そこに生きる子どもとその舞台と改めて向き合ってみる必要があるのではないだろうか。

8．子どもの遊びと学びの再発見

以上述べたように、近代学校が生み出した功罪は、大人と子どもの良き人間関係である相互関係を大人から子どもへの一方的働きかけにしてしまったことであり、子どもの大人へのあこがれを喪失させ、結果として子どもの学びへの意欲を喪失させたことにある。とはいえ、近代学校が今後もしばらく、子どもの学びを成立させる最も大切な機関であることには変わりない。現代の学校における学びにおいて最大の問題点は、学ぶ喜びを失ってしまった多くの若者を生み出していることである。どうすればこの問題を克服できるか。この問題への安易な解決法はさしあたりない。ただこれまでの論述の経緯から、どうすれば「学ぶ喜び」を復権できるか。言い換えれば、学ぶことで豊かな能力を身につけた先輩である大人たちへの「あこがれ」をどう育てるか、そしてそのためには、大人と子どもとの相互コミュニケーションをどう取り戻すか、大人の仕事ぶりや行為に「かっこ良さ」を見出せるような大人—子どもの関係をどうつくるかが勝負ということになる。ちょうど、野球の好きな子どもたちにとってイチロー選手が「あこがれ」の的であるように。

最後に再び遊びの意義を語ろうと思う。私は幼年期、少年期にかけてよく遊んだ。今思うと不思議なことに、気づいたら友達といろいろな遊びをやっていた。いつその遊びを覚えたか、学んだのか覚えていないのである。研究者になって、その理由を追求したときに発見したことは、ある条件の中で「みてまねる」学習を行っていたのである。ちょうど、気がつかないうちに日本語が話せるようになったり、歩けるようになったりするのと同じである。一見、何の努力もしていないように見えるが、遊べるようになると、仲間に入って行動できるようになることに「あこがれて」、みてまねるという試行錯誤を果てしなく繰り返していたのである。あこがれてやるのだから、この試行錯誤は部分的に辛いとかはあっても全体的には楽しかった記憶しかないのである。私は別の論文で、こうした「みてまねる」が成立する伝承遊びの学ぶ過程を次のように書いた。

昭和30（1955）年以前、高度経済成長が始まりかけた頃までは、日本列島改造はまだ行われず、子どもたちは学校が終わると、地域で遊ぶ姿が見られた。母親は家事に明け暮れ、兄弟姉妹も多く、乳飲み子は背負って働けても、ヨチヨチ歩き以上の子どもは仕事の邪魔になるので、長男、長女は子守の責任を負わされて、戸外に出ることが多かった。そうした近所の子どもたちは大抵、寺や神社の境内に集まってくることが多かった。この集団は、上は6年生から幼稚園児くらいまでの異年齢であった。小さい子の面倒を見るのが年長者の務めであったが、それだけだと退屈することも多く、集まって遊び始めるのである。でも、6年生にとっては、幼児と遊ぶのはあまり楽しくない。何をやらせても下手くそで面倒を見なければならないからだ。

そこで、例えば、指を天に高く差し出して、「鬼ごっこする者、この指とまれ」といい、背の高い子どもだけを選別し、とまれない幼児たちは、遊びに参加できない「みそっかす」として、観察者に仕立て、遊べる年長児だけで遊ぶという工夫をつくるのである。

年少児は年長児が楽しそうに遊ぶ姿を見ているしかない。でも時を経るうちに遊び仲間になるのである。年上の子どもたち、遊び以外の場面では面倒を見てくれる優しい兄や姉の立場の児童が、遊び場面では入れてくれない。それは個人的な意志ではなく、それが決まりなのである。この年長児と年少児との間の、引きつけられつつ排除される関係は、みそっかすにとって年長児の遊びの楽しさに「あこがれ」る心情を生み出すのである。そこから「みてまねる」学びが生まれるのである。つまり、やりたいけどやれない状態から、できないけれどやってみるという試行錯誤が始まるのである。そして試行錯誤の過程における失敗（緊張）と成功（解放）の行ったり来たりの中で、成功の確率が少しずつ高まっていくことの中に、学ぶ意欲が高まり、実行しつつ意欲の高まりがあるのである。初めは、上手にやる人にあこがれて試行錯誤が繰り返される。最初の頃の単なる主観的な思い入れによる「あこがれ」で始まる「ものまね」は失敗の連続しかないだろう。例えば、こま回しでこまに糸を巻く巻き方が違っていれば、投げ方が同じでも失敗を繰り返すだけだ。しかし、糸の巻き方が正しくて失敗が繰り返されても、あるきっかけで投げるタイミングが合うと、成功率はどんどん上がっていく。回る確率が１／２くらいになれば、ひたすら練習が続く。成功の解放感が投げる前の緊張感の間で、期待の緊張と成功の解放の間で、ハラハラドキドキの宙づり感が生まれ、遊びの楽しさが、この「みてまねる」という試行錯誤学習の楽しさを教えてくれるのである。そして、この楽しさがより高い技への挑戦を引き出すこともあるのである。

この試行錯誤の学びは、鬼遊びや野球などの集団ゲームにおいても見られるものだ。私自身の経験を語るとすれば、みそっかすだった筆者がたまたまメンバーに欠員ができ、年長児がしぶしぶ、私をチームのメンバーに入れ、打球が来る確率の少ないライトを守らせ、バッター順は９番目にされる。しかし、いざバッターボックスに入って打とうとすると、どうせ打てないんだからホームベース上に「かぶれ」「かぶれ」と命じられ、デッドボールで出塁せよとやじられていたのが、次の年には、センターを守り、バッター順位も７番くらいになると、好きなように打たせてくれる。でも打ちたい私にしてみれば、一球一球が緊張と解放の往復で、自分のパフォーマンスとピッチャーの配球がキャッチャーミットにドヌゥと音がする間がハラハラドキドキの瞬間であり、野球の楽しさであり、バッターボックスでの毎回のパフォーマンスが試行錯誤の学びであり、ヒットしたりする瞬間の解放は遊びの醍醐味である。

現在、上述のような異年齢集団は成立しないし、もし野球をやろうとしたら、学校の体育の時間か、休み時間か、少年野球チームに入るしかない。しかも下手ならそこに参加しても出場の機会はないかもしれない。次第に現代はやる人より見る人に分かれてしまいがちになる。子どもは戸外遊びに参加する機会を奪われ、室内でゲーム機相手に遊んだ気分を味わうしかない毎日を送るという傾向も増えている。

どの子どもにも、遊びに参加することで、ある動きにあこがれ、みてまねることをやってみる。試行錯誤の末に、ハラハラドキドキを味わうチャンスを与えたい。

9．学校での学びにつながる遊びの学びの再生を

前述のように筆者が経験した伝承遊びは今やもうない。だからこのままでは全員が遊びに参加する機会も、皆で身体を使ってハラハラドキドキする体験はもはや戻ってこない。どうすればかつての遊びの世界が再生できるのか、「あこがれ」を実現する試行錯誤体験を再生し、学びへの学習意欲を引き起こせるのか、幼稚園や保育所、そして児童館などの学童保育センターの見直しを提案したいのである。それらの施設が子どもの「あこがれ」を実現する試行錯誤の学びの場として再認識されることである。それらの施設が子どもたちの「あこがれ」による学び＝遊びを実現する場となるための条件は何か。

まず第一にそこで務める保育者や職員が学校において教授活動をする教師とは異質な役割を果たすことの自覚が求められる。つまり、子どもがあこがれる対象の大人であること、そしてその条件は、子どもたちがみてまねたくなるパフォーマンスを演じられることである。木工でも編み物でも、サッカーでも、子どもたちが「ねえ、やってみせて」とせがむような対象であること、そして、常時、施設のある場所でひたすら、そのパフォーマンスをあたかも自分でやりたいからやるというように行っていること、その結果、子どもたちの中でみてまねたいというグループが成立し、自主的に活動を展開する習慣が生まれること、このことは要するに大人が子どもたちのモデルになるということである。

第二に保育者や職員がモデルとなることの反面において、幼児や子どもたちが自分たちの活動が盛り上がったり、自分たちだけでやるようなときには、決しておせっかいをやかず、子どもたちの傍で、しっかりそれを見守ってやること、言い換えれば、この場面の主人

は君たちだから、決して干渉しないという態度が貫けることである。そして、子どもたちが達成感や成功感を覚えたときには、その様子に対し、共感のメッセージやサインを送ってやることである。

第三に、子どもたちの活動がうまくいかないとき、あるいは活動が盛り上がらないときは、援助者としてのサポートが必要である。このサポートの確かさは、第二の点で子どもを見守るときの観察力の鋭さによって保障される。そしてこのサポートは常に、子どもが取り組んでいる活動の７～８割までで、最後のフィニッシュは子ども自身でやり遂げさせることである。子ども自身が始めた活動なのだからゴールも子ども自身に切らせることである。

第四に子どもたちが好きな活動で群れる場所（居場所）ができるように舞台を整えてやったり、好きな活動をするのに必要な素材や道具はいつも一定の場所に置き、活動を持続すればするだけ、自分たちの縄張りを自覚でき、そこに愛着が持てるような配慮が必要である（コーナーの設置）。

第五に、保育室や児童の部屋の施設、道具、素材の配置環境は、保育者の責任であり、自主的にそれができるような生活習慣（片づけ）は保育者自ら率先して行う努力をする必要がある。

第六に、保育者はこうした活動の中で自己のパフォーマンスに集中するときは、自分自身に集中する（concentration）ことで、自分の背中に子どもの関心（あこがれ）を引きつけ、それ以外のときには、子どもとの相互関係的親密性を心がける。この働きはかつてのガキ大将の役を演ずることを自覚すべきである。

第七に、保育者や職員と子どもとの関係は、一対多者関係であり、一人ひとりとインターパーソナルな関係をすべての子どもと平等に持つことは、本来不可能なことであるとすれば、大人は、子ども一人ひとりと個性的な関わりを持つという信念は、一対多においては、擬制として行う、言い換えれば、パフォーマンスとして演ずることでしか成立し得ないことを自覚する必要がある。

そこでの擬制としてのパフォーマンスは、１．保育者や職員が子どもたち全員を引きつける（あこがれを持たせる）パフォーマンスを持つこと、２．全員を認知しているというパフォーマンスとして部屋全体を俯瞰すること、３．毎日の出会いにおいて、固有名詞を駆使し、お互いの出会いの独自性を演出すること、４．３を実現するために、日常の出会いにおいて認知するある時点での認知内容（例、砂場の一点でシャベルを使って穴を掘っていたこと）を長期的に連続させて、特定の子どもについての物語を保育者や職員が構成し、その物語を背景にその子どもとの出会いを演出することで、その施設での子どもの生活が子どもの居場所となるように工夫することである。

子どもは、遊びの中で、自分の存在の重さを「君がいなくちゃだめなんだよ」という仲間の無言のメッセージを通して感じ、友と共に遊ぶことで、活動の楽しさと充実感を味わい、その姿を保育者のまなざしによって承認される。そんな活動こそ、幼児のさらなる活動への勇気を引き出すのである。活動への充実感が高まれば高まるほど、幼児の失敗を恐れない精神が育ち、みてまねるという学びへの動機は高まり、成功への信念が生まれるだろう。遊びは学びへの入り口なのである。学校教育において行われている教授活動による学習が、かなりの子どもたちにとって苦役のイメージを与えてしまっている現実を大きく変換する可能性を、遊びの再生にかけることはできないであろうか。喜々として遊び戯れていた少年時代の自分の記憶の延長線上に研究者の私の姿を重ね合せるとき、こうした想いは強いのである。

4

現代における子育て

—少子化時代をどう乗り越えるか—

財団法人福島県私立幼稚園振興会
「研究紀要」第21号（2009年度）

はじめに

1994（平成6）年のエンゼルプラン以来、子育て問題は未だ先行きが不透明な状況にある。目下不景気な時期にあり、経済格差が拡大し、失業率も高く、子どもを抱えながら、共働きをしなければならない家庭で、保育施設に子どもを預けて働きに出なければならない家庭も多い。それに対し、保育施設が不足しており、新聞には待機児童が激増しているという記事が頻繁に紙上に取り上げられている。地方自治体としては財政赤字のため、施設増は簡単に応じるわけにはいかない。とすれば、さしあたっての待機児童対策は、民間の保育施設に受け入れてもらうしかない。その結果、地方分権推進委員会の第三次勧告において保育所最低基準の廃止が2009（平成21）年10月7日に首相宛に提案されたのである。地方自治体が様々な施策において国の制約に縛られ、しかも、財政上の権限も国の裁量なしには何もできないという現状において、地方分権を主張することは原則において一応妥当なことである。しかし、この地方分権化の流れの妥当性と最低基準という幼児の人権に関わる基準を廃止する方向の妥当性のどちらを選ぶべきなのか、さらに根本的には子育て支援策を少子化対策という長期的展望で捉えるにはどうすればよいのか、子どもを生み育てることの根本思想に立ち返って考える必要はないのか、そうした点を追求してみよう。

1．政策の緊急性と長期的展望

新政権になって、国土交通省が予定して新設を計画していた莫大な道路財源の大幅な見直しがされていた。旧政権の時代に無駄な道路をつくるなという世の批判があり、この批判に応えるための改革も試みられたが、結局、次の内閣ですべて復活していた。しかし、2009（平成21）年11月4日の朝日新聞の1面のトップ記事に、「崩壊寸前の橋　121基　国交省集計、寿命前に劣化」とあり、「大型車の通行を禁止した重量制限つきの橋も680基確認された」とある。「橋の管理者である地方自治体は財政難や技術者不足が深刻で、6割以上が補修計画も立てられない状況という」とある。この橋は住民の身近な生活道路に架かる橋がほとんどだという。30面の関連記事には、「ハコモノ」優先で進められてきた公共事業のツケが一気に回ってきたという。元建設省官僚で今大学教授の専門家は、自分の「手柄」をアピールする政治家も、予算のパイを確保して省益を守る官僚も、「つくる」ことには執心しても維持補修などの地味な作業には関心がないという。

全くあきれる話であるが、この地方分権推進会議の提案と無関係な話ではない。なぜなら、子育て支援という仕事、しかも、子どもの健全な育ちを保障する地道な仕事に対し、少子化を阻止しようとする長期的な見直しが全く見られないからである。待機児童を解消するための緊急対策としての政策提案は、何よりもまず必要だということで市民のニーズに直接応えるという形になり、かつマスコミにもニュースとして取り上げられる。それゆえ政治家や行政当局にとっては自らの立場の正当性をアピールすることになる。しかし前述の橋の修復などと同様に少子化対策となると長期にわたる話であり、ニュース性は乏しく、政治家や政策担当者にはあまりメリットはない。多くの場合、橋が崩壊し犠牲が出て初めて、修復に取り掛かることになりやすい。同じことが子育て支援施設を待機児童のために新しくつくる場合にも起こらないだろうか。子育ても施設に入所させてしまえば問題解決というものではないからである。こうした政治のやり方はどうすれば改善されるのだろうか。子育て政策に限らず、子どもの教育問題に対しては本来、長期的展望が求められるべきものである。しかし、現実はそうなっていない。それはなぜか。一般に、政策担当者は、近年、新しい政策提案を打ち出すためには、エビデンス（evidence＝証拠、証明）が必要だということをよく口にする。その場合、エビデンスとは数量上のデータで、かくかくの数値からしてＡ案の方が妥当であるという証拠がほしいというのである。例えば、私が体験した学術会議の「子どもを元気にする環境づくりの会議」でのことである。この会議の議長は、子どもの遊び場をもっとつくるべきだと主張する。確かに外国に比べて子どもの遊び場は少ない。そうした環境をつくることに尽力してきた建築家である議長にしてみれば、もっともの話である。しかし、建築家であるというこの研究者の立場からすれば、自分が構想する遊び場をつくることが先行しがちである。事実、この研究者は筆者が所属する会議で過半数が建築家であるという会議を立ち上げた前歴があるのである。

私はこの会議のある機会にこう発言したことがある。「子どもの遊び場が少ないからといって、そうした場所をつくったとしても、全く子どもが集まらないこともある。まず子どもたちが集まってくるという条件を考えていくことが先決ではないか」この発言には次のような裏づけがある。１つは、今、子どもが遊ばなくなった背景に三つの原因があるというものである。一つは、遊ぶ時間がない。二つは遊び場がない、三つは、遊ぶ仲間が見つからないというものであった。とすれば三つの遊ばない要因の一つだけ用意しても、子どもは遊ぶとは限らないのである。

２つは、遊び場へのアプローチの問題である。子どもが遊び場で遊ぶには、その立地条件が交通上、そこに行くのが困難な場所でないという条件が必要なのである。例えば、交通量の多い幹線道路に囲まれていたら、子どもは一人では来ることができないのである。筆者の経験でも、30年前の調査での話であるが、東京都大田区の蒲田のタイヤ公園では、集合住宅と近接する側からは、大きな道路を経ないでそこに行けるので、その集合住宅の子どもはよくタイヤ公園に行くのに、東海道線を跨いでいる高架橋を通って公園に来る子は少ないということがあった。

3つに、28年前、東京都小金井市地区で7月中旬から下旬にかけて、調査員二人ずつ自転車を使って小金井市全区の放課後の子どもの遊び調査をしたところ、よく遊んでいた場所の1位は路地（袋小路）で、児童公園やちびっこ遊び場で遊んでいる子どもは非常に少数であったこと、子ども遊び集団の平均が2.5人で、人の集いのないところでは子どもは遊ばないということを経験しているからである。しかし、こうした私の経験知が取り上げられることは、ほとんどなかった。この会議のプロジェクトの予算が単年度であり、その短期間に子どもの遊び場の必要性とそのプランを具体的に提案することになっているからである。

5年前だと思うが、東京都中央区の佃島（現在の佃）の子どもの遊びがNHKで放映された。佃島は今、近代化され、ベイサイドに高層住宅が林立しているが、かつての佃島の風情を残す住居群もこの高層住宅に囲まれて残っており、長屋群の間の細い通路を鬼遊びなどで子どもが走り回っており、住宅群の前にある広場では、大きな樹木の下で花いちもんめなどの集いが展開されていた。そしてこの子どもたちの群れを見守る高齢者が世代を超えてボランティアで存在していたのである。インタビューに応じたその高齢者は、自分の母親がこの役割をしていたことをその当時の写真で証明してくれたのである。

ということは、こうした子どもの遊び場は一日にして生まれるものではなく、長い歴史の中で生まれてきたものである。今では、高層ビルに住む子どもたちも、この広場に集まってくるとのことであった。

こうした子どもと場所とのなじみ合う関係を調べることで初めて、本当の子どもの広場（遊び場）が生み出されていくのである。もし、本当に子どもが遊ぶ場所づくりを始めようとするなら、この佃島の遊び場などをフィールドとして、長期的な観察を通して子どもの遊び場へのリサーチ（研究）が必要なはずである。しかし、前述のように短年度のリサーチで数量的エビデンス（証拠）で遊び場を計画しようとすることは、単なるハコモノをつくるのと全く変わりのない発想なのである。このように教育問題や子どもの問題は、子どもの成長・発達に基づいて長期的に見ていかざるを得ないものである。しかし、短期的視点で捉える政策提言はこうした視点を無視する傾向が大きい。

同じことが子育て支援策にもいえるのではないだろうか。この政策が少子化対策という重要な側面を持っているとすればなおさらのことである。即ち、子どもを産んで育てたいと考える夫婦が増えることを対策としなければならないのである。特に、婚姻関係を結ぶ女性が男性の知らない苦痛と負担を引き受けるがゆえに、産む性としての自らを自覚するとともに、出産の後も、夫婦共に新しい生命を育み育てる決意を全うするための物質的精神的助成をしていく十分な展望と計画を持つことが、本来の子育て支援策の精神であるはずである。しかし、それが実現できないのである。

エンゼルプラン以来の子育て支援策はこうした哲学と展望を持って展開してきたのであろうか。近年、子どもの虐待の件数が年々増加の一途を辿っている。そしてこの背景には、経済不況によるリストラ、経済格差の拡大などがあるといわれている。経済格差が教育格差を生むだけでなく、現在の子育て事情を悪化させ、夫の失業のため、妻がパートでもいいから働くことで収入を得たいという要望が増加し、これが待機児童の増加を生んでいるということを考えれば、さしあたり、子ども手当などの援助によって現在の家庭の窮状をとりあえず救済するという政策を批判することはできないし、長妻厚生労働大臣が、待機児が急増している都市部において、地方自治推進会議における保育の最低基準を撤廃することはしないが、待機児童に対して緊急対策の必要性のある都市部においては、基準の緩和を考えるという結論を出した。具体的には次の点である。地域主権の実現に向けて第三次勧告を最大限尊重し、地方分権を推進。ただし、保育・介護・福祉の質に深刻な悪影響が生じかねないもののみ、例外的に全国一律の最低基準（規制）を維持、施設等の基準についてはすべて条例に委任した上で、「人員配置基準」「居室面積基準」「人権に直結する運営基準」に限り、「従うべき基準」とする。この決断は暫定的対策としては、まずは妥当なことであろう。

なぜなら、地方分権推進委員会の国家基準の見直しという趣旨は国が統一的に基準を決断するという原則そのものを見直せということにあるからである。しかし、そのことを原理的に賛成と考えるにしても、この場合、最低基準は保育所における幼児の生活する権利のギリギリの下限を決定したものであり、それ以下になることは、幼児の人権を保障するという点からも望ましくないという限界を設定したものである。そしてそこには専門家や現場の保育者の意見も反映されているはずである。ちなみに、今度の地方分権推進委員会の勧告に対し、長妻厚労相が保育所を訪問し、保育士に最低基準について意見を求めたということは、最低基準の見直しについて、数量的統計的判断は得られないにしても、現場の声を聞くという点で、必要なことであった。今度の決定は最低基準の撤廃については、今回は受け入れなかったが、今後どうなっていくのであろうか。少なくとも現状において厚労相の判断は妥当であったとするしかないであろう。しかし、現行の認可保育所の面積基準は、米・英・仏などの国際比較でも最低であり、この基準を緩和することは保育の常識からすれば、非常識極まりないことなのである。2009（平成21）年11月16日の毎日新聞においても、公立保育所は2004（平成16）年度以降運営費設備費が一般財源化され、財政難の市町村は保育予算を切り詰め、保育士の非正規化が進行した。これは国の責任放棄であるという声もあるのである。

なぜなら、これまで地方自治体の多くは、幼保の二元化という原則を遵守してきたとはいえないからである。

2．保育の一元化の由来と一体化

日本は明治以来、幼保二元化政策をとってきた。幼稚園は午前保育、保育所は終日保育、前者は教育機関であり、後者は福祉施設である。幼稚園は家庭保育との連携において望ましい幼児の発達が保障される。一方、保育所は両親の不在などで、家庭の保育に欠ける幼児のための施設である。この建て前は厳密に守られていた。ちなみに、1975（昭和50）年頃、筆者は故守屋光雄氏が経営する北須磨保育センターを訪問した。このセンターは幼稚園と保育所の幼保一元化を主張しており、そのとき、幼稚園の隣に保育所の施設を建設中であった。しかし、市の保育課は幼保一元化はまかりならんということで、二つの施設を別々に建設することは認めても、二つの施設を一本化することには反対し続け、一本化するのではないかとしばしば監視に訪れたのである。そして幼稚園を訪ねる度に、一本化することへの警告を発していたのである。しかし守屋氏は、施設の建築が完成した深夜、両施設を隔てる壁を壊して、幼保の一元化を実現したのである。守屋氏は幼保の一元化において最も重要なことは保育者の研修の一元化だとし、月曜日を研修の日にあて、幼稚園・保育所の両施設の保育者が一緒に研修すること、その日は臨時教員が保育すること、保育者が一定期間互いに保育所と幼稚園双方の保育の担当を交代し、両施設の保育者の役割の等質化を図ることで、幼保の一元化を実施したのである。しかし幼稚園界も保育界も二元化のままでいいというのが時の趨勢であった。それほど幼保の二元化は厳格な区別だったのである。

しかし、この原則は近年の経済的変動のゆえに、あっという間に変更された。それゆえ、この度の幼保の一元化は、むしろ一体化と呼ぶべきものであった。両者の相違は前者の場合、遡れば、1926（大正15）年、大震災の後に、また1946（昭和21）年に、幼稚園界を代表して倉橋惣三と、保育界を代表して城戸幡太郎らが中心になって行ったものであった。しかし結果として実現しなかった。また1963（昭和38）年には、文部省初等中等教育局長（旧職名）と厚生省児童局長（旧職名）との連名によって「幼稚園と保育所との関係について」の通達がなされ、3歳児以上の幼児に関しては保育内容に関して、幼稚園教育要領に準ずることになった。以上の事実はいずれも、幼稚園と保育所の幼児に対し、保育上の格差がないようにという配慮からなされたものであって、法制上の既定の相違は、厳然と守られていたのである。

しかし、1994（平成6）年に公布されたエンゼルプラン以降の厚生労働省の子育て支援策において、子育て支援の目的は、大局的に見れば、高齢化社会に向かう日本の少子化をくい止めるための経済政策であり、喫緊の課題としての雇用対策である。特に、地方自治体が責任を負う保育所政策に関しては、バブル崩壊後の赤字財政の救済であり、小泉内閣後は、小さな政府の名目のもとに、財政の建て直しの名目で幼保の一体化が、地方自治体の福祉や教育の担当部局をとびこえて、地方自治体の最高責任者の鶴の一声で遂行されてきた。その主な流れは、公立幼稚園を解消し、保育所と一体化したり、公立保育所を民営化したりする動きであった。例えば、川崎市（神奈川県）の場合、16 園あった幼稚園を縮小したいけれども常識的にどの程度の縮小であれば妥当かという諮問を受けたことがあった。川崎市は区域が極めて広いので、縮小するにしてもせいぜい半数にすることが限度であろうという返事をした。しかし、結果的に残った公立幼稚園は２園であった。ある園は筆者が公開研究を指導した園である。当時、父母から廃園についての反対運動と署名があり、一時は廃園を停止したかに見えたが、数年後、廃園を決行した。理由は財政赤字であった。財政赤字はバブル時代のハコモノづくりによる放漫財政のつけであったとしても、地方財政の赤字解消という大義名分のために、人件費削減ということが最もとりやすい手段であり、幼稚園を廃園にして幼保を一体化する、あるいは民営化することを地方行政が軒並にやった手段であった。私立幼稚園側も少子化のためには、公立幼稚園を廃止して民営化することが必要であるとして、地方議会などを通して働きかけることで園児の獲得を図った。しかし、子育て支援策の推進とともに、保育所の措置制度の緩和、保育所の民営化の促進といった流れは、今や私立幼稚園への入園児の減少を生み、認定こども園などへの切り換えをしないと、益々、保育所への入園希望の増加に歯止めがかかりにくくなっている。今や、地方自治体の財政事情の悪化、少子化の増大といった社会的変化は、幼保一体化を当然視する世情を生み出している。そして地方自治体が運営する公立保育所も、市場経済の波のもとで、民営化を是とする空気の方が支配的になり、公設民営という流れが生まれつつある。守屋氏があれだけ努力してきた幼保の一元化への願いは、今や経済的理由でいとも簡単に変更されているのである。こうしたこの国や地方自治体の変化は、専ら財政上の理由であり、子育て支援策にそれは典型的に表現されている。

3．これまでの子育て支援策の中核は何であったか

2009（平成21）年２月16日の朝日新聞に日本経団連が政府に少子化対策の抜本的拡充を求める政策提言をまとめた。少子化対策を国の最重要課題と位置づけ、今後５年間の政策メニューをこう提言した。待機児童の解消（子育ての家庭支援拡充）、約30万人の雇用創出の効果をねらった保育士の増加率を向上させる政策推進に関する財政支出１兆円を2009年度補正予算時にあてるよう提案している。具体的内容としては、待機児童のために必要な保育サービスの拡充を図ること、存在需要を含め100万人とされた待機児童のために必要な保育所などの設置費が約１兆円、運営費が700～800億円と試算している。この他児童手当（小学校卒業まで第１、２子月額5,000円）を拡大し、小学校卒業までの子ども一人あたり、一律２万円の支給を求める。また、主婦らが家庭で行う「保育ママ」「認定こども園」制度の普及拡充を提言する。こうした施策のすべてを実施すると約５兆円規模の支出が必要になるという。これらの提案は、前年までの「子ども・子育て応援プラン」が2009年度には改定時期にあたり、それに合わせて策定される。国内総生産（GDP）比２～３％分を少子化対策に投じている欧州に比して2007（平成19）年度同比0.83％少ない財政支出を大幅拡大するとともに、保育施設の開設や入所要件の見直しなどの規制緩和や、企業に対し、オフィス内保育施設の併設、就業時間の柔軟運用を求める。この施策の目的は官民

挙げて少子高齢化の加速に歯止めをかけることにあるという。

この提案が新聞紙上に掲載された翌日（2月17日)、朝日新聞の朝刊に次の記事があった。

「保育所参入を促す改革論議が難航―厚労省案に事業者反対―」とある。厚生労働省の改革案は、親が自由に保育所を選べるようにし、保育事業への新規参入を促す内容だ。これに対し、保育事業者側は「公的関与が減り保育の質が下がる」と反対し、現行制度の維持を主張したという。厚労省の改革案は、親がパート勤務の家庭の子どもも入所できるように、入所の決め方を「割り当て制」から利用者の「選択制」へと利用者の直接契約にするということ、認可保育所への公費補助が都道府県の裁量によって最低基準を厳しく遵守するものから、最低基準を満たせば、すべて支給するという方法に変えること、つまり児童福祉法を改正しようとする点である。

経団連と厚労省の改正案は、自民党内閣においては、基本的に少子化対策が共働き家庭の雇用対策として打ち出されてきたことにあった。つまり、経済的支援こそが少子化対策になるという発想であったのである。子育て事業に企業経営競争を取り入れる方向での規制緩和は、少子化対策にも効果を生むはずだという発想である。この発想は明らかに市場経済原理を子育て政策にも導入しようとする考え方である。この考え方を今後鳩山内閣はどう引き継いでいくのであろうか。過日の長妻厚労相の最低基準問題に対する対応は、待機児童への即対応策として、柔軟な現実的対応をとったという点では、さしあたり、認めざるを得ない発想であるとしても、今後の方向に対しては、一応、慎重な態度をとったと判断できるだろう。しかし今後の方向は未だ不透明のままである。それゆえ、拙速な判断は、避けなければならない。今後の展開に関して、考えるべき課題を提起してみたいのである。それは、これまで日本の子育ての文化や習慣はどのような思想に支えられてきたのかということである。そしてそれは今後どうなっていくのかということである。言い換えれば、この国は次世代の青少年をどのように育てようとしているのかという教育問題であり、長期的展望からいえば、国の成り立ちの問題でもある。

4．幼保の二元化が解消されなかった背景はどこにあったか

前述のように、幼保の一元化には、大正大震災の後、また第二次世界大戦後、２度も建議されながら、実現しなかった。この要求は、いずれも、大震災や世界大戦という非常時の中で、多大の被害を受けたのが子どもであったという認識から、幼稚園も保育所も同じ３・４・５歳という共通の世代の幼児を抱えており、その幼児に施設面での不平等はあってはならないという考え方から生まれたものであった。それが実現しなかったということは、官僚制度がそれを阻止したという直接的理由はあるにせよ、もっと深いところにその原因はあるのではないだろうか。筆者はそれを家庭保育を基本とする我が国の伝統にあると考えている。1890（明治 23）年に発布された教育勅語において語られた明治維新の根本思想は、石田雄の名著『明治政治思想史研究』[1)] において明らかにされた「家族国家観」にあった。江戸時代の封建思想における忠孝思想は、各藩士と民衆の関係を規定するものではあっても、明治天皇を中心とする維新政府における権力構造を国民全体が支持するイデオロギーではなかった。教育勅語は、国家有機体論を原理として、天皇と臣民との関係を家族国家として構成し直すイデオロギーであった。教育勅語は、臣民と天皇との関係を家族における親と子の関係に例える形の観念によって直接結びつける役割をしたのである。

1876（明治9）年に誕生した日本で初めての幼稚園としてのお茶の水幼稚園（東京女子師範学校附属幼稚園）は、諸外国に対し、近代国家として発足した明治政府をアピールするための、近代教育制度の象徴としての役割を果たしたが、それが日本で初めての女子師範学校の付属であり、後には、女子高等師範学校の付属として、良妻賢母主義の拠点となる教育機関の付属幼稚園となっていったのである。言い換えれば、お茶の水幼稚園は、家庭教育を基盤とする幼稚園教育施設として始まるのであって、良妻賢母主義が明治末期から大正期にわたって、大きく宣伝され、女性の賢さの社会貢献が取り上げられるようになった。それは、あくまでも、良妻賢母であることを前提にするものであった。言い換えれば、それは、家庭における男性優位を補完するものでしかなかった。この時代に生まれた平塚雷鳥らの青踏運動とは一線を画するものであった。

こうした背景からして、幼稚園教育という制度は我が国において、あくまで家庭保育、中でも、母性の役割を中心に子育てを考えてきたのである。日本の幼稚園における半日保育の思想的前提は、家庭の子育てを基本とするということなのである。

一方、保育所は、日清戦争、日露戦争を経て、新しく成立した労働者階級を対象に保育に欠ける幼児に対して生まれた。それは、1900（明治33）年に誕生した二葉幼稚園であった。しかし、この保育所の設立に関しては、国家の関与は決して積極的ではなく、戦前は、東大を中心とするセツルメント運動や労働運動の一環として働く労働者のために展開されてきた。

戦後、政府も戦前の農山村の季節保育所を中心に、児童福祉法の制定を機に、保育に欠ける幼児のための保育所の設立を国家レベルで積極的に進めてきた。そしてその際の入所設置の基準は保育に欠ける幼児に対して認めるというものであった。この場合の保育に欠けるという規定は、両親など幼児の養育にあたる大人が存在しない者（例えば、両親が病気のため、子育てに関われない等）を対象としていた。この場合、保育に欠けるという文言の中には、現在のように、両親が共働きのため、幼児の養育には関われないという事態は想定外であった。しかし、二葉幼稚園の設立の背景を考えれば、当然想定できたはずであった。それにもかかわらず、母性主義的伝統によって、幼児期は家庭で母親が養育するべきであるという理念が、保育所の設立に関しても貫かれている。従って保育所の設立は、戦前の場合専ら、二葉幼稚園の伝統に従って私立の施設に任せてきたのである。長い間、日本の保育の伝統が幼稚園教育中心になってきたのも、幼児期の教育は、家庭が中心であり、幼稚園はそれを補い合う形の半日保育を行ってきたのである。そして、保育所制度も、原則「保育に欠ける」ということを幼児期の教育は家庭でという思想に基づいて考えてきたのである。

この家庭教育を人間形成の基盤に置くという考え方は、日本という民族国家擁立の基本でもあり、天皇制護持の思想の基盤ともなっており、君が代斉唱を学校行事で義務づける考え方の基盤ともなっている。少なくとも、これまでの保守政治の国体護持のイデオロギーの基盤ともいうべきものであった。今もこの考えは日本人としての心性形成にとって必要だとされ、その家庭という基盤の上に国旗、国歌を重視するということは、理念として消えていないし、教育行政の面では、今も強化されているといえよう。しかし、その基盤としての家庭における人間形成の実態は、益々、形骸化しているのではないだろうか。日本人としてのナショナリズムの理念を形成するスローガンやイデオロギーは、教育制度の面を法制上の文言の上では絶えず繰り返し強調してきた。では果たして家庭教育は実際に人間形成力を発揮できたのであろうか。

1989（平成元）年の学習指導要領の改定では、イギリスの家庭の多くの親は、家庭で夕食を共にするのに対し、日本の家庭では、特に父親が会社勤務で帰宅が遅く、夕食を共にする割合が極めて少ないという例を挙げ、親が家庭で子どもと向き合う機会をつくれという提案をしていた。この提案は確かに、当時の日本の家庭の問題点を指摘していたのである。しかし、いったい誰が、そうした指示を徹底するのかが明らかではなかったし、この提案が父親の行動を変えるとも思われなかった。案の定、家庭の教育機能は、益々、市場経済社会の流れの中で実行性を失いつつあるように見える。にもかかわらず、家庭教育は社会の基盤であるという建て前は死滅していないのである。こうした国家護持というナショナリズムの基盤が、家庭、国土、国旗、国歌の護持にあるとすれば、幼児教育は、家庭からという前提を崩すわけにはいかず、家庭における子育ても重要であるということになり、幼稚園と保育所は、家庭教育の機能を相補的に果たす機関として、それぞれ、その役割があるはずなのであり、もしそうだとすればこれを一元化する理由などないことになるのである。

にもかかわらず、市場経済が幼保の一体化を推進してしまっているのである。こうした家庭教育を重視する考え方が戦前からの考え方に立つ限り時代錯誤になっている。今や男も女も自分の生き方を追求する権利があり、女性が産む性だからといって、子育てのために、自分の社会進出の権利を放棄することを強制することはできない。もし、若い夫婦が働きながら子育てをしたいと求めたら、こうした条件を社会が用意するのは政治の責任である。特に、現在のような不況の時代に共働きをせざるを得ない家庭も多い。とすれば、こうした子育て施設を社会が用意するのは当然である。今や、子育てを家庭だけの責任にするのはかえって無責任である。近所付き合いもない現代の都市生活において、家庭は子育てにとって必ずしも適切な場とはいえないのである。しかも現代の家庭生活はそのほとんどが消費経済に依存しており、これまで、家庭の結びつきの最大の要素となっていた食事（家族の中で食事をつくり、家族が集まって一緒に団らんを大切にする）も、お惣菜を買ってきて、しかも各々バラバラに食事をすることが多くなり、子どもたちは子ども部屋で過ごし、家族の生活は同じ屋根の下で過ごしながら、次第に家族の暮らしは一家団らんなどの機会も少なくなっている。

こうした状況の家庭の中で、子育てをするということは、母親にとってどのような影響を与えるのであろうか（もちろん、父親が家庭で子育てをすることも一向に構わないのであるが、現在の我が国では、これまで母親がこの役割を演ずることが多かった。そして、育児不安になるケースも少なくない）。筆者は、別のところで、現代の育児不安についてこう書いたことがある。養育者が幼児と付き合う仕方は、時代が変わっても変わらない。つまり、幼児とペースを合わすことである。離乳食を食べさせるペースを見ればわかる。幼児のペースに合わせて、スプーンを幼児の口に運ぶのである。子どもと気持ちよく過ごすための心がけはここにある。つまりスローペースである。この原則は大昔から変わらない。しかし、幼児を養育する人は、幼児だけと向き合うわけにはいかない。例えば、母親は、夫や幼児以外の関係者と関わるときは、幼児との関係とは異なる。もしこの母親がパートに行くとしよう。その際、母親はパートの労働者として現代生活にふさわしく、ハイスピードでてきぱき仕事をしなければならない。もしこの母親が子育てとこのパートとを両立させるには、二つの仕事のペース配分をきちんとしなければならない。幼児とはスローペースで、パートではハイペースで。この二つの両立は、多くの子育て夫婦にとって対面せざるを得ない現実であるにしても、この現実自体、育児不安を引き起こす最大の要因なのである。そして、そのことが子育て夫婦の共働きを阻止する大きな要因となっている。現在、政府は男女平等参画社会を目指しており、少子化が加速する現状の中で、少子化対策に経済的支援をするのは当然のことのように思われるのである。

今や、専業主婦が最も育児不安を抱えており、子育ての責任を家庭の側に押しつけるわけにはいかない。とすれば、保育という営みを国策上の経済政策として考え、子育て支援を財政支援として進めることを否定する理由はない。ではそれ以外に選択の余地はないということになるのであろうか。

しかし、そう結論づける前に、もう一度改めて、幼稚園・保育所の二元化は全く誤った考え方なのか、子育て支援は経済的支援として考えていけばそれでよいのか、どうしたら長期的展望の中で少子化対策が実現できるのかを考えてみたいのである。

5．家庭保育論の持つ問題とその克服

現在、幼稚園と保育所の就園率は、保育所の方が比率が高くなっている。それは、女性の就労率を反映しているのであり、家庭における子育ての育児不安は、専業主婦が一番高いという点からも、今後は、施設保育への依存度が高くなることは、当然、予測されるところである。だから、施設保育など公的保育施設への要望も大きくなることは否定できない。しかし、翻って、今、家庭保育はもうふさわしくない。従って、もはや親が子を育てるということをすべてゼロにしてしまうべきであるといえるだろうか。すべて子育てを施設保育に切り換える方がよいと結論することができるだろうか。

こうした意見に対しては多くの人が二の足を踏むだろう。事実、

自分の子は幼稚園に入れたいという人も少なくないだろう。

そこでもう一度、家庭保育、つまり親が子を育てるということの意義を問い直してみる必要がある。上述のように、現在の家庭生活に、昭和40年代までの、映画「ALWAYS 三丁目の夕日」[2)]のような家族の団らんを期待できない以上、幼児の子育ての基盤を家庭に置くことは全く不可能といえるのであろうか。現状の認識から見て、現在の消費中心の核家族的家庭生活において、安定した親子関係を求めることができないことは当然のことである。

しかし、だからといってすべての責任を施設保育に依存する形が幼児の健全な育ちを保障できると考えることも、大いに問題があるのである。なぜなら、母体から胎児が誕生した瞬間から子育てが始まるわけではないからである。幼児の成長・発達は、男女が婚姻しているしていないに関わらず、男女の愛情に満ちた性的関係の結果として、妊娠するという結果が発生し、妊娠期間の安定した精神衛生の維持が必要であり、そのためには、性的関係を持つパートナー（男性）のケアが当然必要となる。近年、ラマーズ法などの普及でパートナーが分娩室に同伴し、出産に立ち会って、出産時の誕生の瞬間に立ち会う、あるいは家族全員が立ち会うという関係も生まれつつあることは、家庭保育の中核が母体だけではないことの証明である。従って、家庭保育が基本であることが伝統的に変わらないとしても、そこに家族の参加が必要であることは否定できない。特に父親が母親のパートナーとして、就労時にある母親に代わって育児休暇をとることも必要になる。しかし日本では、男は外に、女は家を守るといった伝統から企業においては、男女格差があり、男女共同参画社会などと宣言しても、男性が育児休暇等を十分とったとしたら、その人は会社でのステイタス（地位）がどんどん後退するといった社風が残っており、デンマークのように、夫婦が平等に育児をするというシステムが確立していないのである。

家庭保育において母親が子育ての中核であるべきであるという主張と、家族の他のメンバーが積極的に子育ての役割を共有すべきだという主張とは、全く矛盾するものでも対立するものでもないのである。両者の相互協力こそ求められるべきものなのである。

しかし、従来の家庭保育は、夫は外で就労、妻は専業主婦という建て前の上で、子育てを専ら、母親の母性に求めるという立場をとってきた。しかし、少子化の増大と労働人口の高齢化は、我が国の経済的基盤を危うくする事態が将来見込まれることになった。この事態に危機感を感じた政府は、エンゼルプランなる少子化対策を打ち上げ、本格的対策として、専業主婦も就労に参加できるように、措置制度を緩和し、公的保育施設の増設のために許可条件を緩め、保育施設に幼児を早くから預けることが可能になるように、様々な援助を考えることになった。しかしこの施策は、雇用対策であって、少子化対策としては決して将来展望を切り開くものとなっていない。もちろん、母親たちの育児不安を解消するための教育相談、母親と幼児の子育て環境をサポートするための子育て支援センターなどは、母親の子育ての悩みや不安を緩和するための支援機関としての一定の効果を生むとして評価することはできよう。

しかし、不安を解消するだけでなく、もっと積極的に、子育てにおける生む苦しさと喜びを実感する母親たちが、上述の支援を受けて「もう一人子どもがほしい」という積極的発言が生まれ、またそれをサポートする支援体制が家庭のみならず、地域や公共施設においてつくられていくことが必要なのである。子育て支援というこのことの出発点は、あくまでも、産む性である女性が、妊み分娩する苦しみや負担を自ら負っても、子どもを育てる喜びを得たいという女性の主体性を、夫や家族がサポートする体制において成立するのである。女性が妊み分娩し、育てる活動に参加することが、女性として、人間としての生き方でマイナスと感じたり、感じさせてしまう条件が周囲にある限り、少子化はなくならないはずである。

しかし、前述のように、現在の市場経済はそうした女性の子育てに関わる心情をマイナスにする状況の中にある。前に別の論文で私は、女性のライフ・サイクルを次のように総括した。

家庭生活が核家族化し省力化し、消費経済の文化に浸蝕された状況の中に育った現代の若者は、

1）親の子育てを見ていないから子育ての習慣に無知である。

2）家庭生活が省力化、特に食文化が「つくって食する。団らんする」儀式を喪失しているため、生活習慣行動に習熟していない。

3）高学歴志向が一般化していても、社会に男女差別があるために、女子は、高学歴でも、キャリアを志向するより、OL を志向する。

4）OL は、就職してもキャリア志向は少ないので、OL 経験の着地点は、結婚相手探しであり、消費生活と生活エンジョイメントと貯蓄である。従って消費も寄生的である。

5）高齢出産が限界に達する前に結婚することを望む。

6）それゆえ、OL 時代の仕事以外は自由で、自己中心的であった生活が、出産後は、子どもに拘束され、時間的にも、行動面でも拘束感の強い生活へと転換を迫られる。

子育て中の専業主婦としての不満の最大なものは、行動の自由、時間の自由のなさであり、もう一つは、自分の使う金に拘束されることである。結婚後は、夫の世帯収入でやりくりをしなければならないということである。OL 時代、自分の給料は自分の好きな消費行為に使えたのである。例えば、おしゃれのためにお金を使う、自

由に遊ぶためにお金を使う。しかし、結婚し、専業主婦になると、自分でやりくりをする場合でも、夫の世帯収入の中でやりくりをしなければならない。そこには、自分の給料を自分のために使うという自由はない。生活費、夫の小遣いなどから考えざるを得ない。すると、自分のおしゃれのために使う余地は当然、抑制せざるを得ない。すると、子どもを公的施設に預けても、アルバイトを選ぶという専業主婦も現れるのである。その主婦にしてみれば、公共施設に預けるために必要な経費は、夫の世帯収入から捻出する。そしてアルバイト（パート）に出る。パートで稼ぐ収入と公的施設に預けるためにかかる必要経費とはさして差がない。にもかかわらず、なぜ預けるのか、その理由はこうである。1．子育ての拘束から解放される。2．夫の世帯収入を使って、子どもを預け、稼いだ収入は、自分の小遣いを得ることなのである。言い換えれば、夫の預金通帳からお金を引き出し、自分の預金通帳に入金する効果を持っている。自分の預金通帳のお金であれば、自分の好きなもの（化粧品、おしゃれ等）に使えるのである。現代女性は子どもを出産して自分の体形が崩れることを非常に気にするのである。独身時代は、三度の食事よりも、出勤前、おしゃれに時間を過ごすことの方が長いのである。独身時代、女性として男性にもてることが重要な関心であったことから考えると、結婚して出産後、幼児と向き合うだけの時間が長いことは、彼女たちに孤独感を感じさせることになり、子育ての毎日に不満を増大させる大きな要因となる。

上述のように、パートへ出て、小遣いを稼ぐだけではなく、仕事の中で対人関係に関わり、他者から関心を持たれていると感じられ、かつ自分の小遣いを獲得したいと思うことは、OL時代の自由な消費者への回帰を求めていることの現れといえるかもしれない。こうした態度を引きずっている限り、専業主婦として子育てに興味を示して、幼児との関係を充実していると感ずる姿勢にはなり得ていないといわざるを得ない。

一方、子育ての重要なパートナーになるべき男性の方はどうか。核家族で育ち、自分の父母たちの子育てを見て学ぶという経験がないことは、女性と同じであり、幼児期から消費文化の洗礼を受けた世代であるという点でも同じである。それゆえ個人差はあるものの、結婚後、幼児の成育について、男女平等観の普及の結果、家事、育児に関して、亭主関白の時代よりは、育児参加の度合いは増大した。しかしながら、日本の企業社会の中に男女格差の意識があり、企業に出世競争の慣習が存在し、男女共同参画社会の呼びかけのもと、育児休暇を男性に保障せよという建て前が叫ばれても、それを積極的に利用しようとする男性は多くない。とすれば、結果として育児は、専業主婦にという形に収まらざるを得ない。

こうした現状の中で、政府側の子育て支援策は今のところ、少子化対策という展望を一応持ちながらも、財政的援助によって少子化に歯止めをかけようとするか、待機児童のための公共の施設を民営化の助けによって増設するということにとどまっている。その結果、少子化対策に対する長期的展望よりも、喫緊の就労条件の対策である待機児童解消に焦点を合わせざるを得ないのである。そしてこうした対策は、子育て不安のために、子育ての日常に消極的な家庭の専業主婦の子育て回避の心情を増幅させることになり、子育てを他人任せにする傾向を拡大することにしかならないのである。

現在の市場経済は核家族の家庭生活をより消費生活に依存する傾向に拡大している。家庭生活の衣食住はすべて、省力化と消費経済に依存している。衣住の老朽化を修復する再生行為としての修繕、修理等の面での自力の能力は、今や失われ、むしろ修理費よりも、買い替える方が安上がりとなるという面が拡大している。これまで最も各家庭でつくっていた確率の高い食事も、惣菜屋や外食への依存度を高め、半加工食品の利用や、既製品の利用度が多くなると、家庭の中では、家事に関するパターン化された習慣行動は次第に失われていき、家庭のメンバーの共同行動が失われていく。それに代わってテレビ、CD、パソコンその他の電気製品などが増大し、その所有が個別化していくと、その行動の多くが情報処理のための道具操作であって、家族のメンバーの家庭生活は次第に個別化し、バラバラにならざるを得ない。その結果、家族のメンバーが共同して一緒に食卓を囲むとか、神棚に向かって手を合わすとか、一緒に豆まき行事をするといった儀式も次第に失われつつある。

こうした家庭生活の消費文化への傾向は衣食住だけではなく、家庭の独自の精神文化をもお金を出して、消費化していく傾向を増大させるのである。娯楽は主にテレビ視聴、CDやDVDなども外部から購入しているし、冠婚葬祭も今や外部業者に依頼している。また富裕層の中には、お祝いのパーティーなどの準備や料理人などを業者に依存する人も出ている。教育という仕事も初等教育以上は、外部機関に依存しているのであるから、子育ても、公共機関にお金を払って依頼しても一向に不思議はないのである。

しかし、これまで、家庭教育だけは、父母の責任であるという考え方は長く維持されてきた。これは世界的な傾向である。その理由は、いくつか考えられる。

一つは、家庭教育は人間形成の基盤であり、家族は社会構成の基盤であるという考え方である。特に資本主義社会の場合、特に民族国家の社会では、民族国家の基盤は家庭であり、家庭は国家成立の基礎基盤であるという考え方が、私有財産制の保護ということと関連して重視されてきた。加えて、宗教的信条も家族を基盤として成立してきたこともあり、子どもの人間形成に宗教的信条が大きく作用してきたキリスト教圏にあっては、家族はその基盤としての意義を保持してきた。そして今も保持している。

また、民族国家の基盤が必ずしも単一民族ではなくなっている現在においても、家庭を基礎単位とする考え方は残っている。さらに、先進資本主義国における男女の交友関係の性的自由化によって、婚姻関係の再編成が自由に行われても、家族という制度は消滅していない。また、こうした流れの中で誕生した子どもたちも、多くの問題をはらみながら、どこかの家族に所属している。また、子どもに恵まれない夫婦も、養子制度の普及によって、家庭が人間形成の基盤であるという建て前を保持している。

一方、アーリア民族優先の思想のもとで、ナチズムの迫害に追われ、ユダヤ民族独自の国家建設を目指したユダヤ人が、イスラエルで集団農場として建設したキブツでは、近代家族の子育て原理を超越した教育原理が打ち出された。それはナチズムの民族純血原理を否定し、拡大家族（共同の労働と生活という理念によって結ばれた血縁に関係のない家族）のもとで、子どもも共同生活で育つという考え方で、親を離れた共同生活を送り、18歳まで育つというシステムも今や、わずかに残存はしているものの普及はしていない。

一方、前述のように、我が国は建て前では、家庭教育の重要性や人間形成の基盤としての家庭の意義を強調しながら、現在の子育て支援策では、少子化対策として専業主婦の子育てを助けるといいつつ、実際には、専業主婦が子どもを施設に預けやすいようにし、専業主婦が再び職業につきやすい条件をつくることに専ら努めている。もちろん、このこと自体は否定すべきではない。しかしこうした子育て支援策は、先に述べた消費文化に支配された家庭生活の中では、子育てからの逃避を正統化することにならざるを得ないという可能性が大きい。こうした子育て支援策は、結果として、家庭保育の意義を無化していく結果になりはすまいか。このままでは、家庭保育の重要性という建て前を前提としたまま、家庭保育を軽視し、生まれた幼児をできるだけ施設保育に依存するという状況をつくり出してしまっているのである。今や結果的に、保育という営みを消費行為としてお金を払って、他者に依存するという状況をつくってしまっているのではないだろうか。

6．我が国における子育て習慣における家庭の役割

家庭における子育ての役割を専業主婦のみの役割にしてしまうのではなく、現在の消費文化中心の家庭で、どうすれば家庭での保育の意義を見出すことができるだろうか。少し時代を遡って考えてみることにしよう。

昔、出産は、母子共に一大事業であった。嬰児の死亡率も高く、出産時に、母体の危機も多くあった。しかも、子どもの出産は、共同体の将来の労働力を確保するために、子どもを生むことは、家庭の主婦にとってはとても大切な仕事であった。それゆえ、子どもが生まれるということは、一つの家族にとってだけではなく、地域社会にとっても大切な福音であった。そのことは、出産行事に現れている。子育てが単に女だけの仕事ではなく、家族や地域社会全体の役割であったことは、疑似陣痛の習慣や仮親という習慣などに現れている。この前者は、長野にあったといわれるが、妊婦の陣痛の苦しみが始まると、この苦しみが夫にも伝わり、夫も妊婦と同様に、陣痛の苦しみを体験し、出産とともに、妊婦の苦しみが遠のくにつれて、夫の苦しみも去っていく。これは一種に呪術的憑依といったもので、巫女などが祈りによって憑依することに通ずるものであるが、この事例は女性だけではなく、男性もまた子育てに全身全霊で

関わっていたことを示している。

また、出産行事においては、お七夜といって、出産後、出産を祝って近所に餅を配るという風習や、現在の沖縄で、自分の子どもの結婚披露宴に新郎新婦、仲人夫婦、両親、さらに新郎新婦の仮親、総じて12人が雛壇に並ぶのを見たことがある。これは、自分の子どもの成長・発達が血縁関係を超えて、地域社会の人々の支えによって保障されることを示すものであり、産婆さんが仮親とされるところもある。筆者と同じ研究者の友人である庄司他人男(たにお)氏は山形県最上地方の出身であるが、ご両親の厄年に誕生したことで、庄司氏の発達にこの厄年の災いが及ばないようにという気持ちから、誕生時に赤子である庄司氏をご両親自身が隣家の門口に捨ててくる(もちろん形式的であるが)。そして自分の子どもに、他人の子どもであるということを強調して他人男と名づけるのである。そして隣家の人からその赤ちゃん(他人男氏)をもらい受けるという形で改めて、庄司家の子として育てたのである。このように子育て習慣の中には子宝は一家庭だけのものではなく地域の子どもであり、地域全体の豊かさの象徴なのである。それゆえ、地域全体が協力して、村の子を育てたのである。言い換えれば、家庭保育は現代の言葉でいえば、地域のネットワークによって支えられていたのである。

今から50年近く前、筆者が東京教育大学大学院で教育学を学んでいた頃、大学のキャンパスがあった茗荷谷では、都電が走っていた。あるとき、教育大学付属の小学生たちが数人、制服姿で電車に乗り込んできたことがあった。小学生たちは、傍若無人の振る舞いで、走ったり大声を上げたりしていた。そのとき、車掌が子どもたちを強く叱ったのである。それは、我々が子どもの頃に悪さをしたとき、近所のおじさん、おばさんに叱られるのと同じ感じがした。この頃の大人はどこの誰であろうと、子どものやることが正しくないと感じると、子どもを叱ったのである。この時代の大人たちは、その子どもと関係があろうとなかろうと、子どもを教育するのが大人の役割だと考えていたのである。子どもは皆、私たちの社会の子どもである。だから、私たち大人はどの子どもも差別なく次世代を担う子どもを大切にしなければならない。こうした態度が大人たちの中に身構えとして持たれていたのである。

これからの時代にこうした精神を我々は共有していけるであろうか。おそらく、家庭保育の精神を維持していくにしても、多くの困難があるだろう。前述のように、家庭において益々消費化、省力化が先行し、情勢は共働きに参加する割合が進行し、家庭生活も各々個別的な時間進行の中で展開されるだろう。にもかかわらず、家族が女性の妊娠生活をサポートし、ラマーズ法に見られるように分娩に立ち会い、嬰児の誕生を喜び、家族と共に幼児の生活と成長に寄り添い、豊かな愛情の交流を育み、この関係が地域の子育て支援センターにおける職員と父母と幼児、あるいは職員同士、父母同士、幼児同士の相互交流の基礎となること、さらには、かつて大人たちが子どもたちに大人としての責任を感じたように、施設保育に携わる保育者たちの専門性の根底に、かつての大人たちの精神が根づかなければ、家庭保育の理念は形骸化してしまうだろう。現在、核家族において、子育ての実態が消費文化化する傾向が拡大している。施設にお金を払って、他者に子育てを依存している。にもかかわらず、親たちは教育に熱心で、我が子だけは良い学校に入れたいと早期教育を行わせ、幼小中高の一貫校に入れ、我が子どもの経済的安定を確保しようとしている。これは、資本主義の進行に伴い、自分の私有財産を確保し将来に備えるのと同様に、自分の血の繋がりと私有財産を結びつけて、自らの資産を維持するという発想であり、それは、自分の子どもを私有財産視しているということにもなるのである。そこからは、自分の子どもへの愛情も、モノ化しかねないのである。

こうした文化は、施設保育において、豊かな保育文化は育たないのである。こうした親の要求に迎合する保育施設は、保育者のいうことを聞く幼児、いわゆる“いい子”“できる子”を大切にする保育（例えば、進学に強い教育）を行うことになる。そしてそれは、学業成績が評価されることしかしない保育を生む可能性が高いからである。子どもたちを愛し、子ども時代を大切にし、子どもを人間としてしっかり育てる保育を行う保育者は、女性の産む性を尊重し、母親とともに父親の責任を重視し、地域の子どもたちを大切にする大人たちの存在なしには成立しない。それは、家庭保育をかつてのように、母親任せにする保育ではない、子どもを生み育てる女性の立場の苦しさと役割を尊重し、父親としての子育てパートナーを果たし、地域の子育てネットワークの役割を果たすことで、子どもたちの文化を守り育てる形で、家庭保育の精神を現代社会にふさわしい形に組み替える必要があるのである。それは、施設保育の中身をも新たに組み替えることにもなるであろう。

1）石田雄『明治政治思想史研究』未来社、1992 年
2）映画「ALWAYS 三丁目の夕日」山崎貴監督、2005 年、「ALWAYS 三丁目の夕日」製作委員会

5

子育て政策のディレンマを克服する道はあるか

―長期的展望を求めて―

財団法人福島県私立幼稚園振興会
「研究紀要」第22号（2010年度）

はじめに

前章で、子育て対策の現状を批判した。しかし、この批判において現状を克服する対策を提起し得たかといえば、正直、答えは、否である。しかし、今ここで具体的にその答えを出せるかといえば、その答えを出すことは、それほど簡単なことではない。なぜかといえば、根本的対策を立てるということは、長期的展望を示すということであり、一朝一夕にできることではない。ただ、今、筆者にできることは、長期的展望への道筋を提示することくらいである。そしてこの道筋を示すということは、我々の戦後の歴史を振り返ることである。そして今後、辿るべき道筋の至難さへの認識を深めることである。筆者自身の研究者としての自戒を込めて、長期的展望を語ることにしよう。

まず、結論的に述べるならば、今、少子高齢化の進行の中で、少子化対策の長期的展望を語り得るためには、エンゼルプランに始まる少子化対策自体が抱えている根本的矛盾を認識するところから始めなければならないということなのである。その根本的矛盾とは何か。それは、戦後の教育政策の根本をなす理念、即ち日本の子育て政策は家庭保育を基盤とするということと、最近の子育て政策とは根本的に矛盾している、ということである。

結果的に理念と現実が乖離してしまっているのである。そしてこの事実認識なしには、長期的展望は一切開かれないということなのである。以下、このことを詳しく述べながら、戦後の保育の歴史的展望を振り返りつつ、長期的展望への射程を語りたい。そしてこの過程での幼稚園や保育所の歴史にも触れることになる。従ってそれへの批判的見解も含まざるを得ないことを、あらかじめ断っておきたい。

1．戦後の保育制度の理念と現実の乖離

戦後の幼児教育政策は、原則として保育の二元化であった。この政策のイデオロギー的理念は家庭教育がすべての教育の基盤であるというものである。これは前章でも指摘したように、家庭教育こそ人間形成の基盤であるという考え方は、明治時代の教育勅語において示された家族国家観を引きずっていると考えられる。なぜなら、幼稚園教育の半日保育という原則は、幼稚園の教育といえども、家庭の教育と連携しなければ、望ましい人間形成はできないという原則であり、保育所保育は、家庭保育を担当する養育者（父母）の役割が欠ける場合にのみ、その機能が承認されるということが原則であった。従って、幼児期の教育の中で幼稚園は、原則的には、小学校教育を補完する意味で、公立の場合、５歳１年保育が中心であり、私立の場合も４、５歳の２年保育が中心であった。そして、０～３歳未満は家庭保育が中心になるべきだという考え方であった。従って、日本の子どもたちの発達と教育制度の関係は、家庭保育から幼稚園教育へ、さらに義務教育である小学校から中学校へというルートがメインルートとして考えられてきたのである。これに対し、保育所保育はあくまで、保育に欠ける＝家庭保育が十分保障できない幼児に対する制度上の処置として考えられてきたといえよう。

そして、高度経済成長期に入ってからも、幼稚園教育をメインストリート（基本線）と考える考え方は変わらなかったといっていいだろう。1963（昭和 38）年に立てられた「幼稚園教育振興７カ年計画」によって、1960（昭和 35）年の就園率 29％から、1972（昭和 47）年には 58.6％に達し、保育所の幼児を加えると、90％まで上昇していったのである。この時代の保育＝幼児教育に対する関心は高度経済成長が家庭の経済的基盤を豊かにしたことから、その豊かさ

を次世代の子どもたちに継承させるためには、教育に力を入れることが大切なことであり、そのために、義務教育に先立つ幼稚園教育即ち就学前教育への関心が一気に高まり、幼稚園の就園率を押し上げることになったのである。そしてこのことは、早期教育の動きを拡大させ、塾通いの子どもを激増させることになったのである。後述するように、こうした幼稚園教育の振興自体、当時流行していた世界的早期教育の運動と連動するものであり、結果として幼児教育の本義としていた遊び保育の理念を無視するものであったのである。

当時、筆者は、若手研究者として仲間と『子どもの権利と幼児教育』[1)] を出版し、第１章「現代社会と幼児教育」という章の中で、核家族の進行とともに、幼児の教育が、義務教育と同様に意図的計画的に考えられ、早期教育が進行し、家庭の暮らしの教育作用が軽視されつつあることに警告を発している。つまり、家庭の形成作用への軽視が既に始まりつつあったのである。しかし、共働き家庭が増加しつつあったとはいえ、専業主婦が主流を占めていた時代であり、共働き夫婦の就労を保障する条件、特に既婚女性の就労を歓迎する職場条件は少なく、公立保育所に子どもを預けて就労できる職種は、労働組合の強い教員か公務員くらいであった。とはいえ、教職員の場合でも、保育所に子どもを迎えに行くのは、女性の方が圧倒的に多かったのである。1980 年代、ある（公立）保育所の所長からこの施設に幼児を預けられるのは勤務時間の関係から教員か役人くらいのもので、その人たちだけにのみ、市民の税金を使うことに対して理不尽さを感ずるという意見を聞いたことがあった。

この時代においては、保育の二元化の原則は生きており、幼稚園教育が主流であるという常識が存続していた。つまり、家庭保育から幼稚園教育へ、そして義務教育へという考え方である。園児数も幼稚園児の就園率の方が高かった。それに対し、保育所保育は、そうした一般的ルートに乗れない条件にある幼児たちを救済する福祉施設であるという建て前が成立していたのである。ただ、現実には、家庭の省力化と消費文化の依存度は深く進行しており、親たちの意識は、幼児期を義務教育の準備期間として、塾や外部の意図的計画的機関にお金を払って委託しようとする傾向は進行していた。

しかし、この事実が、既に市場原理主義の始まりであり、やがて家庭教育や保育の実践を空洞化し、子どもはつくるけれども、子育ては施設任せにする。そして子育てを他人任せにすることが子育て能力の低下を生み出す。さらに、子育て不安を増大させ、子育てを消費行為と同様に施設任せにして、その結果、少子高齢化の現実を生むという予測も、これに対する対策も欠くことになるということは、予想できていなかったのである。それゆえ家庭教育や家庭保育の強調は、啓蒙的にイデオロギー的にトップダウンで行われてきたのである。言い換えれば、家庭という共同的基盤は我が国においては、自然発生的に歴史的に不変であり不動のものであるという暗黙の前提が一般にあったのではないだろうか。

特に保守政党による政権はこの前提のもとに政策を立案した。例えば中曽根政権のとき（1984（昭和59）年）臨時教育審議会が発足し、1987（昭和62）年には最終答申が出され、国家、国旗の尊重が提唱され、改めて教育理念としてナショナリズムが強調された。もとよりこうした主義主張の根底には、基盤として家庭の重視、家庭保育の重要性が前提にされている。このことは1979（昭和54）年8月「新経済社会7カ年計画」の中で「家庭の相互扶助と自助努力」を強調し、1980年代の家庭対策として「家庭基盤の充実に関する対策要項」を挙げ、老親の扶養と子どもの保育としつけは家庭の責任である、としたことによっても明らかである。自民党は「乳幼児保育基本法」（仮称）の立法化を図り、「家庭教育」の確立、保育所が親の育児放棄の道具になっているとして、乳幼児保育の家庭での実施を主張したのである。

2．家庭重視の理念のもとでの家庭文化の空洞化の進行

1996（平成8）年中央教育審議会は、「21世紀を展望した我が国の教育の在り方について」という第一次答申を発表した。その中で家庭や地域の現状について次のようなことをいっている。少し長いが引用しよう。

> まず、家庭についてであるが、核家族化や少子化の進行、父親の単身赴任や仕事中心のライフ・スタイルに伴う家庭での存在感の希薄化、女性の社会進出にもかかわらず遅れている家庭と職業生活を両立する条件の整備、家庭教育に対する親の自覚の不足、親の過保護や放任などから、その教育力は低下する傾向にあると考えられる。
>
> 平成5年の総理府の世論調査では、家庭の教育力が低下していると思う点としては、「基本的生活習慣が身についていないこと」が、最も多くの者から指摘されており、家庭の教育力が低下していると思う理由としては、「過保護・甘やかせ過ぎな親の増加」や「しつけや教育に無関心な親の増加」が、多くの者から指摘されている。また、親が子供と一緒に過ごす時間については、諸外国に比べて、特に父親が少ない。（傍線、引用者）

次に地域についてこういう。

> 地域社会については、都市化の進行、過疎化の進行や地域社会の連帯感の希薄化などから、地縁的な地域社会の教育力は

低下する傾向にあると考えられる。例えば、平成5年の総理府の世論調査を見ると、自分と地域の子供とのかかわりについて、「道で会ったとき声をかけた」36.3%、「危険なことをしていたので、注意した」35.8%、「悪いことをしたので注意したり、しかったりした」28.3%、などの一方、「特にない」は29.9%となっており、約3割の人が地域の子供とのかかわりを全く持っていないと答えている。

こうした家庭や地域の教育力の低下について、その要因を次のように述べ、提言を行っている。

こうした家庭や地域社会に見られる教育力の低下は、大きくは、戦後の経済成長の過程で、社会やライフ・スタイルの変容とともに生じてきたものと言わなければならない。例えば、家庭については、これまで企業中心の行動様式が広く作り出されてきたこと、民間企業などから提供される多彩で便利なサービスを享受することによって家庭の機能を代替させえたことなどが大いにかかわっていると言えるし、地域社会については、都市化や情報化の進展によって、かつては息苦しいとまで言われた地域社会の地縁的な結びつきが弛緩していったことなどの事情が大きくかかわっていると言えよう。(傍線、引用者)

このように、家庭や地域社会の教育力の低下の問題は、日本人のライフ・スタイルや現代社会の構造そのものにかかわる問題であり、その新たな構築を図ることは容易ではないであろう。

しかし、今、人々は、家庭や地域社会の本来の機能を外部にゆだねたり、喪失させてしまうことによって、一見快適な生活を送ることができるようになったことが本当に良いことだったのか、また、それで果たして本当に幸福になったのか、という

> ことを問うようになってきた。このことは、単に子供たちの教育の問題だけでなく、我が国の国民生活の様々な問題に取り組む上でも重要な課題である。我々は、今こそこの問題を社会全体で真剣に考え直してみなければならないときだと考える。
> （傍線、引用者）

この提言は、今、少子化対策を考えるときにも通用する時間を超えて大切な至言である。しかし、この提言がなされ、「ゆとり」教育の重要性が強調された同じ時期に、この提言とは、全く矛盾する提案が厚生省（当時）から提案され実施されるのである。それは、エンゼルプランである。エンゼルプランは1994（平成6）年に提案され、1996（平成8）年から実施される。もちろん後者は厚生省からの保育政策提言であり、前者は文部省（当時）の文教政策上の提言であるという、別の省庁レベルの政策提言であるという主張も成り立たないわけではない。しかし、エンゼルプランには、当時、文部省もこの提案の責任省庁となっているということと、家庭教育に関わる二大提案であるという点で無関係ではあり得ない。ただ、後者は基本的には、当面（当時）の雇用対策のための子育て支援策であったということである。従って当時のこの中央教育審議会における21世紀を展望したときの、当時の家庭における教育力の減退をどう救済するかという問題意識、それは現在21世紀に入って10年を経過した時点での現状に通底するこの問題意識に、このエンゼルプランが的確に答える政策であったのかどうかが問われるのである。

既に述べたように、エンゼルプランは、まず第一に雇用創出のための政策であったことである。確かに、子育て支援センターをつくり、育児不安を解消するための子育て相談を強化するという当面の対策は行った。そして子育て支援策が、それまで二元化政策をとってきた幼稚園教育と保育所保育の二元化を一気に一元化する機運を高めたのである。つまり家庭保育から幼稚園教育へ、さらに学校教育へという教育制度のメインライン（基本線）と、それを補完する意味での保育に欠ける幼児のための福祉施設としての保育所という建て前を放棄することとなったのである。これを機に、家庭保育を人間形成の基本に置くという保育政策の一貫したナショナリズムイデオロギーは、市場経済の論理に、子育ても開放するという現実主義にとって代わられることになるのである。

3．エンゼルプラン成立の経緯とその意味
―「家庭保育重視」という建て前的理念の放棄とその正当化―

1996（平成8）年のエンゼルプラン施行の最大の動機は、将来に予想される日本経済の危機予防としての少子化対策であった。確かにこの時期、専業主婦の子育て不安が遍在化しつつあったことから、母親の育児相談、子育て支援センター、乳幼児健康センター等の新設という当面の子育て支援のための多様な施策という表向きな一面もあったが、施策の基本は、年々下降傾向にある出生率の低下が、将来労働人口の減少を招き、総人口に占める高齢者人口の割合を増大させ、それが年金支給率を高め、財政悪化を益々進行させることへの危惧への対策であった。この頃、バブル崩壊後であったため、当面の雇用問題というより、近未来のためには、女性が結婚後も子育てをしつつ労働市場に参加できる条件を確保する必要があり、そのためには、延長保育、夜間保育を開設し、保育所の措置制度を緩和することが求められたのである。

しかし、当時は、保育士の労働時間の厳守などの条件があるため、公立保育所ではその実施が難しいという理由から、この政策は

保育所の民営化を促進しようとする動きとして現れた。この動きは、「保育に欠ける幼児」のための施設という保育所の機能を、労働市場へと女性の参加を促すための施設へと変換しようとする動きであった。

1992（平成4）年12月の官報速報で1,100億円の公立保育所保育士人件費（措置費）を一般財源化するという方針を厚生省と財務省が立て自治省（当時）との折衝に入った。この施策には、国家及び地方自治体の財政がバブル崩壊のつけで、一気に悪化の兆しがあったので公設民営化によってこれを防ぎたいという思惑があった。

しかし、自治省としては、保育所制度自体の在り方の検討が先決だとしてこの施策に反対した。背景には、当時、強力であった自治労働組合（ここに保育士の多くが参加していた）の反対のためだとされている。このため1,100億の保育士人件費（ヒモつき予算）の一般財源化は見送られた。

そして1995（平成7）年に、政府内に保育問題検討会が発足し、措置費問題、入所自由契約問題、保育サービス問題等が取り上げられ、公設民営化の動きが加速されることになる。その結果が1996（平成8）年のエンゼルプランなのである。それゆえ、この施策は、家庭教育の重視、幼稚園教育、義務教育という我が国の幼児教育の基本線の中で「保育に欠ける幼児」のための機関であった保育所、言い換えれば、保育の二元化に一気に風穴をあける契機となったのである。つまり、保育所機能は、家庭を持ちつつ、労働市場への参加を可能にする託児機能を持つ施設へと変わっていくことになるのである。それまでの、保育所は家庭保育の補完機能を果たすという建て前は、働く女性のための保育機能を果たすという役割へと変貌することによって、保育の二元化から一元化への足掛かりとなったのである。そしてそれは財政悪化のもとで、政府、地方自治体双方の負担を軽減し、民営化を推進するという方向性を示唆するものであった。エンゼルプランの諸政策遂行の財源を配分する役割を指定されたのは、児童育成協会であり、この協会は、こどもの城という施設を運営したことで知られているが、本来、企業内保育所への補助金援助団体である。この事実からもエンゼルプランが民営化推進を目的とするものであったことは明らかである。

エンゼルプランの発表は、省庁の権益を超えて、政府が国家的立場で子育て支援に取り組む空気を盛り上げることになった。文部省もこの一翼を担うことになり、ここから、幼稚園と保育所の垣根が一層低くなっていった。言い換えれば、保育の二元化「家庭保育から幼稚園へ、幼稚園から義務教育へ」を主流とするという建て前を形骸化することになる。

この動きを一層加速したのが、前述のようにバブル経済崩壊による地方自治体の財政赤字であった。

一つのエピソードを紹介しよう。バブル経済の時代、地方自治体は多くのハコモノをつくった。1997（平成 9）年 3 月、筆者は愛媛県国公私立幼稚園の県主催の研修会に講演を依頼され、松山市に赴いた。講演会場の県民ホールの講師控室で県職員と雑談していた折、その職員は、県民会館の立派さを誇示したいらしく、私にこの建築は誰の設計かわかるかと私に質問した。私はそれを見て、丹下健三氏だろうと答えたことがあった。説明の中で彼はこの建物を維持するだけで月 100 万円かかると述べていた。類似した事情は全国各地にあったのである。

一方、子どもの出生率は、1985（昭和 60）年をピークに減少の一途を遂げていった。その結果、公立幼稚園や小学校の学級減が始まり、バブル期に増加した私立幼稚園の園児獲得競争は次第に激しさを増し、1992（平成 4）年頃から、園それ自体が減少し始め、1996

（平成８）年～97（平成９）年にかけて、400園が廃園となった。幼稚園児数も1992年の194万９千人が、1997年には、179万人と約16万人も減少した。

一方、保育園児は2000（平成12）年を境に幼稚園児数を超えることになる。公立幼稚園と併存する地域では、経営上の危機感から地方議会を通じて公立幼稚園の廃止運動を始める。地方自治体とすれば、労働組合等の抵抗も少なく、赤字対策としては一番標的になりやすかった。例えば、川崎市（神奈川県）の場合、広領域のため公立幼稚園が広く分布していた。公立幼稚園の研修会講師をしていた筆者は、教育委員会スタッフの訪問を受け、市政が幼稚園総数の削減を決定した場合、地域幼稚園の性格を維持する建て前からして、削減数の限度を教えてほしいという諮問を受けた。筆者の答えは、ギリギリ削減しても半数は残すべきだと答えた。しかし結果的には２園を残すのみとなった。筆者が公開研究会を引き受けた園の場合、団地の最寄りの場所にあり、小学校に併設されていた。そのため、廃園予告に対し、住民の強力な反対運動が展開された。そしてさらに署名運動に発展したため、一旦、廃園は延期されたが、１年保育のため運動が沈静化されたのを機に廃園は遂行された。

また、品川区（東京都）の場合、就園予想児が十分予測されたにもかかわらず、私立幼稚園の近隣の公立園は廃園になり、地域に私立幼稚園がないため、公立幼稚園の就園児が定員をはるかにオーバーし、二人教頭制を置かざるを得ないところも現れ、園経営の難しさを訴えられることもしばしばであった。ここでは、保育の質などの議論は行政側に取り上げられることはなかった。

2000（平成12）年、港区（東京都）のＮ公立幼稚園公開研究会の席で講師であった筆者は、同席していた港区教育長に、幼稚園教育の質を維持するために、公立幼稚園の存続の重要性を講演の中で訴えたが、筆者の主張が当局に聞き入れられることはなかった。

一方、私立幼稚園側としては、公立幼稚園と併存していた地域の場合、このように公立幼稚園の廃園が遂行された地域も現れた。しかし、そうした地域でも新たな競争相手を迎えることになった。それは、保育所であった。1998（平成10）年、神奈川県のある地区の私立幼稚園研修会に新しい幼稚園教育要領についての講演を依頼された。講演後の質問で、就園児の獲得の問題で、ある園長から、保育所に就園する新入園児数をチェックする手立てはないのか、ということを聞かれた。文部省と厚生省では管轄が異なるので、打つ手はないと答えたときの園長たちの苛立ちの表情は印象に残っている。

4．子育て支援策に対する文部行政の立場

—1996（平成8）年の中央教育審議会の立場は守られたか—

1998（平成10）年、幼稚園教育要領の改訂がなされ、筆者はこの改訂のための協力者会議の一員としてワーキンググループの座長を務め、遊び中心の保育という従来の教育要領の基本理念を堅持するという立場で参加した。しかしこの改訂には、この協力者会議の委員の審議にかけられない内容が加えられた。それは預かり保育に関する規定である。当時、幼稚園課課長は我々に対し、これは皆さんに審議していただく必要がない項目であるということを明確に宣言した。つまり、これは文部省の既定事項として作成したのである。

当時、課長は、全日本私立幼稚園連合会の会長と話し合い、この預かり保育の規定を幼稚園教育の内容として教育要領に盛り込んだのである。会長は川崎市で私立幼稚園を経営しており、特に多くの人口を抱える横浜市（神奈川県）において、公立幼稚園がなく、公立保育所も少ないという状況があり、私立幼稚園が、長時間保育だ

けでなく、未就園児を対象とした時間外保育を保育所に代わって行ってきたという実績に基づいて預かり保育のアイデアをつくり出したといわれている。折しも少子化の進行する中で、私立幼稚園は、経営上、長時間保育、給食、園バスを売りにするところも出現してきており、この課長の預かり保育の導入は、これまでの私立幼稚園側の経営戦略を、積極的に合法化しようとする論理であった。

私立幼稚園サイドとしては、特に都市部において1990年代後半から保育所利用者数が増加し、毎年4万人から5万人の間を維持していることから、預かり保育という項目が導入されたのである。しかし、幼稚園本来の在り方として反対する人も少なくなかった。というのは、給食施設など、新たな施設整備のための設備投資を要請される面もあったからである。とはいえ、時代の流れとしては、バブル崩壊後、国の財政も地方財政も緊縮化の傾向にあり、予算削減の動きは避けられぬ傾向にあり、保育所を対象とする費用も、幼稚園教育にあてられる私学助成も一本化し、再配分するところ（例、滋賀県等）も出現し始めており、財政的立場からいえば、従来、保育所関係の予算もやがて一本化されるだろうという予測もあちこちでささやかれていた。こうした状況の中で、課長のいう預かり保育案は、私立幼稚園サイドの将来展望を見通したものであり、幼稚園課課長としての幼稚園教育に対する文部省の布石としての意義があったのである。それは、少子高齢化社会へと向かう動向の中で、今後は、子育て支援策が保育行政の中核になるだろう。そして国家の財政支出も子育て支援策を中心に展開するだろう。そして子育て支援策として保育政策を考えれば、これまでは厚生省が実績を積んでおり、予算面でのシェアを多く占めている。

一方、文部省はこれまで、長時間保育、給食、園バスという形で幼稚園教育の法制上の原則、半日保育を逸脱する形で、子育て支援策をサポートしてきた。この歴史を預かり保育という形で正当化することで、正式に子育て支援策に便乗したのである。長時間保育、給食、送迎バス（これは白タク扱いで法的には本来、違法であった）、この三つは、私立幼稚園経営の三種の神器といわれ、園児獲得のために不可欠なものとされていた。しかし、いずれも、家庭教育で本来、親の領分とされるものであり、多くの異議が唱えられていた。しかし、少子化傾向の中で、この経営戦略は益々加速化され、園児獲得競争も熾烈を極めることになっていったのである。

こうした動向は、家庭保育の重要性という理念のもとで設定された半日保育という原則、親が用意するお弁当を持参するという原則、親と子が手をつないで通園するという徒歩通園の原則を、幼稚園の経営や親のニーズに合わせるという名目で、事実上破る形で展開してきたということになる。このことは、エンゼルプランの実施とともに、子育て支援策によって措置制度が緩和され、保育所への就園児が増加したとしても、それは当然の成り行きであり、半日保育という制度の特色の上に成立していた幼稚園自体が、その特色を放棄した以上、仕方のないことなのである。こうした私立幼稚園の在り方は、中央教育審議会の提言にあったように、「例えば、家庭については、これまでの企業中心の行動様式が広く作り出されてきたこと、民間企業などから提供される多彩で便利なサービスを享受することによって家庭の機能を代替させえたことなどが大いにかかわっていると言える」ということにつながるのである。こうした動向に対し、中教審答申を受けた文部省は何のチェック機能も果たしてこなかったのである。この家庭の教育力低下を施設保育が補完するという名目は、家庭の「教育力」の向上に貢献しない限り家庭保育を基盤とするという一大原則を、事実上否定しているのである。1998（平成10）年の幼稚園教育要領の改訂による預かり保育の規定の導入は、いわば、法的には非公式に展開されてきた延長保育を法的に正当化する意味のものでしかなかった。かつて、高度経済成長期の発展とともに、子どもの出生率の増加とともに発展してきた私立幼稚園の増加は、幼稚園振興策に後押しされて輝く未来が約束されるかに見えたが、やがて出生率の低下、バブル経済の破綻とともに、厳しい経営競争を強いられることになるのである。それに伴い、もはや保育理念よりも経営の安定に走らざるを得なくなったのである。

このように見てくると、私立幼稚園の経営戦略のみが、我が国の幼児教育の建て前を崩したかのように見えるが、実は、そうではない。前掲の1996（平成8）年の中央教育審議会の的確な未来予測と警告に対し、この提言を政府の教育政策がどこまでこの考え方を遵守したかというと、この提言自体が極めて妥協的な提言でしかなかった。それゆえ、その後の政策において、それを実行することはなかった。それは、先の1996年の家庭の現状に対する極めて深刻な現状報告の後半の部分でこう述べている。「しかし、平成5年の別の総理府の世論調査によると、『10年前に比べて、家庭を重視する男性が増えている』と感じている人の割合は72.1%に達し、また、20歳代から30歳代の人々の80%以上は、『今後、男性が子育てや教育などに参加して家庭生活を充実し、家庭と仕事の両立を図るためには、企業や仕事中心のライフ・スタイルを変える方がよい』と考えている。このように、国民の多くが仕事中心から家庭や子育てを大切にする生活へと意識が変わってきていることもうかがえる」と状況を肯定的に述べていることと無関係ではない。

また、地域社会の現状においても、前段で、都市化や過疎化の進行によって地域社会の教育力の低下を指摘しておきながら、「しかしながら、平成6年の文部省の調査において、子供の健全な成長のために地域の大人たちが積極的に子供たちにかかわっていくべきと思うかどうかについて、子供たちの保護者に尋ねたところ、『積極的にかかわっていくべきだと思う』、『どちらかといえばかかわった方がよいと思う』と答えた者の合計は89.3%に上り、保護者の意識の上では、地域社会が子供たちの成長にかかわっていくべきであると考えていることが分かる」と主張している。

また、1990（平成2）年の総理府の世論調査は、地域活動、子ども会やスポーツなどの指導、社会福祉活動といった、いわゆる社会参加活動については、「参加している、あるいは参加したことがある」と答えた者が増えていることを示しており、さらに1993（平成5）年の総理府の世論調査では、特にボランティア活動に対して、「地域社会の人々の参加意欲は高まっていることが示されている」としており、前半で述べた、家庭や地域社会の変貌を、経済的社会的構造的な変化によるものであることを否定し、むしろ社会の楽観的展望すら示唆している。このことは、こうした提言に対し、政府が断固たる対策を立てることより、むしろ、文部行政の立場から啓蒙的提言に止めたに過ぎないことを示している。それゆえ、例えば諸外国に比べて、父親の家庭参加が極めて低い事実を指摘しながら、何一つ具体的対策も立てられなかったという事実に表れている。

中央教育審議会は1998（平成10）年の答申で、「『新しい時代を拓く心を育てるために』―次世代を育てる心を失う危機―」という考えてみれば、極めてショッキングなタイトルの答申をした。この答申はまさに今日の少子化を予告するタイトルであったといえる。しかし、その中身は、啓蒙的提言でしかなかったのである。例えば、この中で、第2章に、「家庭の在り方を問い直そう」という第1項がある。その中に「(b) 夫婦間で一致協力して子育てをしよう」、「(c) 会話を増やし、家族の絆を深めよう」、「(d) 家族一緒の食事を大切にしよう」などの項目がある。こうした提言を実現するために、日本の企業で働く人々の勤労時間を厳守するという施策や、働く女性や男性の育児休暇の完全実施という施策をこの時点でもし厳格に実施していたら、少子化は今日のような状況にはならなかったはずなのである。

政府は、文部行政において、こうした提言を啓蒙的にしながら、同時、並行的に家庭教育の重視というスローガンを切り崩すようなエンゼルプランが施行されていくのである。この建て前と本音の二重構造は、既に、恒久平和、戦争放棄を声高く謳う平和憲法と、自衛隊の海外派兵、非核三原則の堅持を国民に約束しつつ、原子力空母や潜水艦の日本への帰港を容認するといった外交政策の二重構造として日常化されてきたこととも関連しているのである。

同じことが、半日保育を建て前とし家庭保育を重視するという建て前を語りつつ、延長保育を容認するという二重構造が私立幼稚園の経営戦略を容認することとも関連している。また保育内容に関しては、幼児教育において遊び中心の保育を建て前としつつ、受験競争や、教科学習を園の方針として多くの園児をかき集める幼稚園に対し、いささかのチェックもできないという体質とも連動している。

とはいえ、こうした私立幼稚園の経営戦略は、私立幼稚園側だけの問題ではない。1963（昭和38）年、我が国が高度経済成長の過程にあるときに、幼稚園教育振興７カ年計画を打ち出した。これを機に増大する入園児の受け皿として私立幼稚園が開設された。この時代の義務教育は多くの国民の教育要求に応える形をとらざるを得なくなっており、多くの国民の教育要求は塾通いや早期教育の動きに現れているように、高学歴、高収入を求めるものであり、就学前教育としての幼稚園もこの動きに応える形で生まれたのである。公教育体制がこうした早期教育体制を是認しており、既に、1971（昭和46）年には、全国教育研究所連盟の全国を対象とした「義務教育改善に関する意見調査」では、「半数の子どもが授業についていけない」という点を問題にしている。このように義務教育段階でも高学歴、高収入を求める教育要求に対し、教育基本法や学習指導要領で謳っている一人ひとりの学習意欲を高め保障するという理念は実現されておらず、この流れの中で、義務教育ではない幼稚園教育の理念を堅持しようとする努力を国策レベルにおいても実現すべくもなかったのである。それゆえ、私的経営である私立幼稚園に要求することは本来不可能であった。そしてこのことは、少子化の進行とともに益々不可能になっていくのである。

5. 家庭保育の重要性という理念、また保育の質という理念はどこに

以上のように、歴史的変遷を振り返ってみたとき、戦後、いや戦前から、理念上重視してきたはずの家庭保育重視という考え方はどこにいったのだろうか。もしかしたら、多くの人は今も理念として生きていると主張するかもしれない。あるいは、現代の消費文化中心の生活の中で、家族の絆や関係性が変質しているかもしれないということが見えていないのかもしれない。今、家庭で子どもの虐待が増加し、高齢の家族の年金受給を登録しながら、家族のメンバーとして失踪に対し、全く無視していたという記事が新聞を賑わせていることは、家族の絆をお互いに強め合う努力をせずに、家族という枠を建て前としてお互いに経済力の確保に走ってきたということではないだろうか。現在、確かに日本人の平均家庭の経済生活は、諸外国の中でも高いレベルにあるといえるし、省力化も達成し、車を持たない家庭は多くない。

しかし、朝食も夕食も家族が全員揃うことは少なく、各自、自分の部屋で過ごし、家族が団らんすることも少なくなりつつある。こ

のことは、子どもの養育環境として大きな問題である。戦後日本人は、生活向上のために働き、経済向上を目指し、働き続けてきた。また子どもたちも、高学歴を求めて勉学を続けてきた。そして今や「ALWAYS 三丁目の夕日」[2)]で見られた円テーブルで夕食を囲む風景は過去の世界となっているにもかかわらず、中国や韓国、東南アジアの諸国の経済発展に追われて、不景気を克服する努力を迫られている。それゆえ無縁社会という言葉に不安を覚えつつ、多くの国民が生活の豊かさは経済力の確保にしかない、それは教育における学力の向上にしかない、と信じているようである。確かにそこに一理はあるだろう。

一方、明治時代に教育勅語の思想的基盤となった家族国家観は、結果的に国家主義的ナショナリズムに陥り、第二次世界大戦の敗北を招いた。しかし、戦後民主主義社会においても、ナショナリズムの基盤として家庭教育の重視という考え方は保守層を支えるイデオロギーとして維持されてきた。しかし、これまでの変遷に見られるように市場経済の仕組みは、消費文化の普及とともに、家庭生活の基盤を揺さぶり、家庭生活を構成する人間関係の絆を分断する結果を生み出している。もし家庭教育の重要性を重視しようとするならば、改めて家庭における人間関係の絆をどうつくっていくのかという地点に立ち戻ってみる必要はないだろうか。家庭教育の重要性を語る日本の識者たちは、家庭教育の重要性を啓蒙によって伝えられると未だ考えているのだろうか。家族のメンバーが毎日顔を合わせて、話し合ったり、夕食を共にしたり、家族であることを確かめ、強め合う共同の作業をすることなしに、自然と絆が生まれたり、血縁だから切っても切れない絆が生まれると信じているのだろうか。

我々には、天から与えられた自然や家庭というものが、努力なしに備わっていると信じているのだろうか。家族の成員は今や、家族として共に行動するよりも、各メンバーが個人としての自己の生活空間や時間を確保する努力の方に力を注ぎつつあるのではないだろうか。近代社会は個としての自己の在り方や自由を追求する時代である。家族という小さなコミュニティをつくるための努力をしなくても家族や家庭は存続するという信仰を、我々日本人は持ってしまっているのではないか。そのことを我々一人ひとりの家庭生活の実践から捉え直す必要があるのである。言い換えれば、家庭生活の豊かさは、家庭を営む家族のメンバー一人ひとりの関係の持ち方にあるということである。確かに、経済的基盤は必要である。しかし、経済的豊かさが家族の関係の絆を希薄にしてしまっているのではないかということである。同じことが、日本の保育政策と実践の過程にも歴然と現れている。即ち、家庭教育の重要性というスローガンは、日本経済の動向によって、その都度単なるお題目にされてきたのである。こうした歴史的変化の背景には、経済的条件によって家族関係はその都度変更を迫られてきたにもかかわらず、家庭（home）は依然として不変であるといった神話を日本人は持ち続けてきたのではないだろうか。家族のメンバーは各々市場社会の中で個別化、孤立化を余儀なくされてきながら、盆や暮には帰郷するように、家庭は不変だという神話を持ち続けてきたのではないだろうか。

今や都市化社会において孤立化した現代人は家庭それ自体も喪失しているのだ。「ALWAYS 三丁目の夕日」の家庭は神話であるという地点に立ち返ってみるべきではないだろうか。

6．長期的展望に立つ子育て支援とは

前述のように考えれば、盤石のような家庭保育を基盤として、その上に保育制度が続き、さらに義務教育へと連続するといった考え

方を疑うことから子育て支援策を考えていかなければならないことになる。言い換えれば、まず問われるべきは、子育て支援策が少子化政策につながるための問いは、どうすれば、夫婦の同等な権利において、女性が子を産み育てたいという気持ちが生まれるような環境を整えるかという政策が必要であるということである。それには、

1．女性が男性と結婚して、賃労働を選ぶ権利も子どもを産み育てる権利も、また両者を両立させる権利も同等にすべきであり、逆に子育てに専念したいという権利も同等に保障することが先決である。そこからでなければ子どもを産み育てる夫婦の連携は生じないということを認識することである。

2．一方、男性は、女性の選択の方向性に従って、育児参加の在り方を決定すべきである。ちなみに、筆者も、現在、30歳未満の女子二人の親であり、共働きの中で、ベビーシッターの援助を借りながら週3日は勤務先から早く帰宅し、育児と家事を分担した。その後、7年余、有料高齢者ケアの援助を借りながら、認知症の母親のケアを行ってきた。

3．成人層の就労する企業体（公共企業体を含めて）は、男女の区別なく、育児休暇を保障するシステムを確立しなければならない。ここまでは一般にいわれていることである。

4．子育て支援施設は、幼稚園・保育所の区別なく、そこが乳幼児の環境としてより望ましい条件を備えたものでなければならない。そのためには保育施設としての最低条件の確保はいうを待たない。今や子育て不安はすべての子育てを引き受ける世代についてまわる事実である以上、これを解決するには、育児不安の解消のために、子育てにおける夫婦の協働性を図り、専業主婦の育児不安を解消するためには、孤立化を防ぐ必要がある。

これらの施策を実現するために必要なことは、保育者の資質の確

保である。この保育者の資質の一つは、乳幼児のためであり、もう一つは父母のためである。この二つの要件は現在の保育施設が置かれている社会状態を考えたとき、当然のことと思われる。最初の要件は従来、幼稚園や保育所が持っていた機能であるが、家庭保育の機能が低下し育児不安が増大する現在、保育施設の機能強化が、物的環境整備にのみ力点が置かれる傾向にある。そしてその結果、家庭が行うべき保育機能を益々保育施設が肩代わりするようになるとすれば、家庭保育の役割を実質上無化する結果となってしまう。

しかし、前回指摘したように、現在の資本主義社会は私有財産制を基盤としており、私有財産は法律によって血縁者が相続するシステムをとっている。近代家族は、私有財産を親族に相続させるということが家族の血縁性を証明するかのように働いている。我が子の教育への熱心さは、親の能力や素質が私有財産の相続のように我が子へと伝わる手段として考えることと無関係ではない。医者が我が子に多くの教育投資をして医者の道に進ませたいと考えるという傾向は、一つの典型である。こうした傾向は、医者に限らず、現在の私塾の流行、幼小一貫校への進学とも通じている。家庭教育や保育がこうしたモチベーションだけで、施設依存を高めていく傾向は、今、増大しつつある。その結果、我が子を「手塩にかけて」育てるといった諺が失われる現実がある。ある人は、これを子育ての「平安時代」という。家庭教育が、私有財産の継承の論理へと単純化されないためには、改めて家庭教育（保育）の本質は何かを考え直す必要がある。そのためには、保育者の質を高めることで、施設保育における質の充実を図る必要がある。その理由は、多くの親たちが我が子とどう向き合って暮らすかという点について、保育施設の保育者をモデルにしてほしいということなのである。つまり、保育施設は、乳幼児への保育の実践をするとともに、親たちに、保育のモデルとなる場であってほしいということなのである。

もう一つは、親たちの育児能力を自力で高める必要がある。そしてそのためには、前述のような私有財産の相続の一つとして子育てを考えてはならないということである。かつて近代以前の共同体社会において、子育ては、大家族や地域社会の共同の生活や人間関係の中で行われてきたし、子育ての知恵も家族や地域社会の伝承を介して役立てられてきた。

エンゼルプランによって生まれた新たなシステムとして唯一、今後発展継承されるべきものとして子育て支援センターがある。現在様々な問題を抱えたところも多く、必ずしも望ましい形のものとなっていないところも多い。しかし、都市の閉鎖的な空間に閉じ込められて孤立して過ごすことなく、多くのストレスを抱えた父母が、こうした場に親と子で参加することで、親同士、子ども同士の交わりが成立する可能性をつくるべきである。もし、この交わりが子育ての共同化に役立つことになれば、そこは、一つの地域づくりである。そしてそれは親と子の自立的育ちになるはずである。現代家族において、アメリカの養子縁組が示すように、血縁は一つの親密な関係づくりの一つの契機に過ぎない。子どもや高齢者にとって地縁性は、交流圏作成の重要な条件である。NPO 法人で異年齢の子どもと高齢者の雑居で成功した事例が最近新聞報道であったが、地域も改めて地域をつくる時代になったのである。そしてこうした家族づくりや地域づくりのスタッフとして専門職である「保育者」などの養成が、今や、急務である。

1）小川博久『子どもの権利と幼児教育』川島書店、1976 年
2）映画「ALWAYS 三丁目の夕日」山崎貴監督、2005 年、「ALWAYS 三丁目の夕日」製作委員会

6

現代の子育て問題を考える

—自然、生活、子育て等の
総合的関連性の中で—

一般財団法人福島県幼児教育振興財団
「研究紀要」第26号（2014年度）

はじめに

人間の子どもの誕生が抱える問題として、精子と卵子が結合し子宮の中で成長する過程は、人類が誕生して以来、大きな変化はないと考えられる。言い換えれば、文明が発展し、人間の生き方が大きく変化しても、その文明の影響は子宮内の胎児の成長のメカニズムそれ自体に大きな影響はないといえる。確かにこのメカニズムを利用した様々な科学の影響は計りしれない。例えば人工授精による代理母による出産や不妊治療など、出産をめぐる様々な医学上の工夫がなされてきている。だから、仮に紀元前の時代の精子と卵子の冷凍保存が可能で、それを人工受精して現代社会で育てたとしても、その子は現代社会に適応して生きていけるはずである。同様に、一つの仮説としてアフリカの発展途上国で原始的生活を送る少数民族の幼児を、誕生した瞬間からニューヨークの高層ビルのマンションで育てたとしよう。その子は文明社会の市民の子と変わりなく育つはずである。遺伝子上の新たな変革には気の遠くなるほどの年月が必要だとしても、遺伝子が同一であれば、環境の変化には適応できるのである。言い換えれば、いかなる遺伝子を備えようと、人類種として生まれるとすれば、人としての生育上の相違を生み出すものは、誕生以後の成育環境のもたらすものである。では、その生育環境を構成する要因は何か。ヒトの成育と発達の特色を要約すると次のようになる。

まず第一に、誕生児の成育過程はヒトの誕生以来、少なくとも生後1歳前後までは他の霊長類と比べて発達上の著しい相違はなく、霊長類一般の成育過程とパラレル（並行）である。1歳前後以降から成育年齢が上がるにつれて文明の影響は大きく、成長・発達の加速化が特に言語の獲得につれて脳の前頭葉を中心に始まる。特に言語の獲得は変化の大きさのターニングポイント（転換点）である。

第二に、霊長類の中で、親の養育行動が子どもの成育に一番大きな影響をもたらすのはヒトである。特に言語を持つ存在であるヒトは、誕生の瞬間から親は新生児に応答を求めて働きかけ、新生児の側もそれに応答する適応性を生まれながら持っていることが実験で証明されている。

第三に、生物種にとって、個体維持（親世代が生き残ること）と種の保存（次世代が誕生すること）の関係性は特に重要な課題である。この課題を効率的に解決したのは胎内受精である。つわりは、両者の矛盾と相剋（親世代が生き残り、次世代が誕生すること。ちなみに、鮭は産卵受精後、親世代は死滅する）の表現であり、その矛盾を最小限に留める工夫がつわりや陣痛という形で母体の身体的機制の中に含まれている。

第四に、ヒトの未成熟期の成育過程におけるケアの原則は庇護される側の立場に従わなければならないということである。言い換えると庇護される側のニーズに応えることである。さもないと生命力の弱い新生児の命は維持できないからである。生命体の生物学的原理が優先するのである。

一例を挙げよう。新生児は、一日３度の食習慣や夜間７～８時間睡眠時間をとるという大人の生活習慣には従わない。夜昼の区別なく３時間おきにミルクを要求する。それは大人の生活時間を無視し、大人の生活のリズムを乱す。このリズムは大人の睡眠時間のリズムとぶつかり合う。それでも親は子どもの食習慣のリズムに従ってミルクを与えなければならない。動物の親はそれを本能として認知している。しかし、人間の親は知性を持つがゆえに、大人になると自分が生活習慣をきちんと守らなくても死ぬことはないと考え、大人の都合で幼児に対しこの生活習慣を時に不規則にしたりすることもある。もし仮に同じことがこの新生児にもあてはまると考えるとしたら、そうした考えは新生児の生命の危機を招くことになる。霊長類の親はそうした行為はしない。人間の親は霊長類の親が新生児に対して持つ本能を忘れてしまうことになる。近年、児童虐待の激増が報道されているが、自分自身の生活が困窮し物心両面で追い詰められて、子どもを道連れに無理心中するといった事例は、自分が亡き後の我が子の未来への不安な想いのゆえとはいえ、それは結果的には子どもの虐待であり、殺人である。親は新生児のニーズに従うことで、その子の生命維持が可能になり、幼児の発達が保障されると、今度はその幼児は自分の生命過程を支えている養育者の生活リズムに沿って生きようとするのである。例えば、新生児は成長するにつれて、食事行為が次第に大人の食習慣のリズムに近づいていくのである。この関係を筆者は養育者（親）と子のカップリングと呼びたい。これは親が新生児をケアするという形でのギブ（与える）があって初めて、幼児が親の生活リズムに従うというテイク（与えられる）を得ることができるのであって、決してこの逆ではない。つまりギブ・アンド・テイクであって、テイク・アンド・ギブではないのである。

1．子育ての難しさと育児不安

筆者は、現代における子育ての難しさの要因を以下のように考察した。子育ての未成熟期の成育過程に対処する大人の基本的関わり方の原則をカップリングと呼ぶ。理由は新生児の養育には養育者と新生児の基本的対応を何よりも優先する必要があるからである。このカップリングの原則の理解は、体内受精による受胎システムを持つ霊長類の場合、メスが持つ本能としてこのカップリングの体制を支えてきた。特に大型の哺乳類の場合、同類のオスに我が子が襲われることさえもあるからである（例：熊、ライオン、カバなど）。ゴリラの研究で有名な山極寿一は、人間の子育てにおける父親の役割について重要なことをいう。少し長いが引用する（毎日新聞、2014（平成26）年12月21日）。「動物のオスは子孫に遺伝子を提供することはあっても、常時子供の世話をする父親になることはまれだ。哺乳類では、育児がメスに偏っており、オスが育児に参加するのはオオカミなどの肉食動物にほぼ限られている。ではなぜ、人間の社会は父親を作ったのか？　それは人間が頭でっかちで成長の遅い子供をたくさん持つようになったからだ。豊かで安全な熱帯雨林を出て、危険で食物の少ない環境に適応するため多産になり、脳を大きくする必要に迫られて身体の成長を遅らせた結果である。母親一人では育児ができなくなり、男が育児に参入するようになった。しかし、育児をするだけでは父親にはなれない。父親とは、共に生きる仲間の合意によって形成される文化的な装置だからである。」ゴリラ社会が示すように、「まずメスから信用されて子供を預けられ、次に子供から頼りにされなければ父親としての行動を発揮できない。オスは母親が置いていった子供たちを一手に引き受け、外敵から守り、子供たちが対等に付き合えるように監督する。父親になったオスはメスや子供たちの期待に応えるように振る舞うのである。人間の社会は母親や子供だけでなく、隣人の合意も得なければならない。（～中略～）人間はどこでも複数の家族が集まった共同体を作るからである。家族と共同体の論理は相反することがある。」親子兄弟へのえこひいきの感情と共同体の対立である。

さらに、山極はいう。「人間が二つの相反する論理を両立させることができたのは、複数の男を父親にして共存させることに成功したからである。哺乳類のメスは母親の時期と繁殖可能な時期を重複させることが難しい。授乳を促進するホルモンが排卵を抑制するからである。一方、オスは常に繁殖可能で、メスの発情に応じて交尾をする。人間は男に繁殖と育児の役割を与えて父親を作ったからこそ、女も繁殖と育児の両立が可能になった。だから、女も男も家族と共同体に同時に参加できる社会を作ることができた。えこひいきと互酬性を男女ともに使い分けられるようになった。『父という余分なもの』を利用して親の役割を虚構化し、子育てを共同体内部に拡大して、共感に基づく社会を作ったのである。」今西錦司もいうように、ヒトにおいて初めてオスとメスが家族をつくって共同で、子を育てる体制が生まれるようになると、子育ての知恵や役割を家族で分有する文化も生まれるようになる。民俗学の資料によると、我が国では長野県で女親の陣痛の苦しみを夫が分有する疑似陣痛の風習さえあったのである。

しかし、一般には、政治的に父権制が支配する社会の普及とともに、子育てを母親に依存する伝統が生み出されてきた。ただ農村共同体では母親も重要な労働力であり、大家族主義のもとで子育ての役割は家族共同体の多くのメンバーに分有されることが可能であった。しかし現代においては、近代的核家族の進行の過程で男女役割分業意識の残存は育児役割を専業主婦にのみ押しつけることとなり、育児不安を増大させる結果となっている。確かに、10年前に比べれば、イクメンという言葉がはやるように、育児に参加する男親が増えたとはいえ、家同士の付き合いは薄れ、地域での共同の子育ての風習も消えた。特に父親が近所付き合いなどに対し最も疎遠な存在になっている。山極にいわせれば、それはゴリラ以下ではないか。つまり人間社会であるがゆえに生まれた父親という虚構性が機能せず、誰もが親になれる社会の許容柔軟性が失われているのである。そしてその要因を要約的にいえば次のようなことになる。

一つに、母親が多くの子どもを出産し、その子育ての知恵（本能的な部分も含む）が世代体のメンバーに分有され、さらに世代を超えて伝承するという文化的伝統はほぼ消失している。

二つに、現代の子育てにおいて、上述で示されるように、経験知が欠落しているために個々の女性が産院や保健所を利用したり、育児書を参考にして育児を行わざるを得ない。そのために日々変化する幼児の生活過程の状況判断に不安が伴う、子育てを引き受ける者は男、女に限らず、素人の立場で学び経験しなければならないにもかかわらず、女性は一方的に子育ての役割を押しつけられることに不満がある。

三つに、男女共同参画社会基本法が通り、建て前としても、スローガンとしても男女平等が謳われながら、就労機会の格差、賃金格差は厳然としてあり、女性は自己実現や経済的自立が子育てに拘束されることによって妨げられているという意識が強く存在する。

以上のことから、夫婦で子育てに正面から向き合わざるを得ない時代になっているにもかかわらず、そうなっていない。そうした事態が子育てへの負担感を増殖させている。現在の子育て世代のそうした心情が出産後、できるだけ早く、公共の保育施設へ子どもを預けたいというニーズになり、待機児童が増える要因になっている。

若い男女が婚姻関係を結び、二人がお互いにどういう関係性（性的関係を含み）をつくっていくか、この関係の中に生まれるかもしれない子どもという存在をどうイメージするかがまず問題になる。現代の婚姻関係に入る男女にとって、既成の男女関係や男女の役割意識をはめ込むとき、子育ては二人にとって足かせになる可能性は大きい。なぜなら現代の日本社会は今なお男社会であり、男は世帯主として家庭の経済を支える役割であり、女性はそれを補佐するという一般常識が払拭されていない。結果的に女性が家庭経営を押しつけられるというパターンは、女性も男性も子育て回避のメンタリティを生み出してしまう可能性が大きい。なぜなら、私がカップリングの概念を提起した論文の中で指摘したように、現代社会においては、未成熟期の存在を生物学的な原則に従って、幼児のニーズに従ってその生命の存続を保障し、その成育過程に寄り添っていく仕事を、男であろうと女であろうと、素人の人間が取り組むという仕事は、半端な気持ちでできることではないという覚悟が親たちにないからである。

ましてや、今この子育てに取り組む仕事は、若い夫婦が家事を処理することや賃金労働に従事することとは、完全に乖離しているのである。後者は、省力化によってどんどん合理化され効率化されており、食事にしても外注することが可能になっている。かつての専業主婦のように、家事を処理する感覚で子育てに向かおうとすると、ストレスを起こすことも多いのである。子育てを女性に委託して、自分が家庭を支えていると信じている男性は、家事が省力化されているのだから、育児ぐらいはやってくれてもいいだろう、と思い込むとすれば、専業主婦の精神衛生に対する想像力の欠如は甚だしいといわなければならない。男女の差にかかわらず、どんな生き方をしたいのか。どんな生き方を子どもにさせたいのか、我々大人はどうすれば、その子どもの生き方を保障できるのか、そうした問いを子どもが生まれたときに夫婦が語り合えることが大切である。もしそうした基本的な問いをせず、結婚し、子どもができちゃってからどうするか考えるという場合、成り行きで専業主婦となり、子育てをしてみたら、とてもとてもじゃない、ストレス溜まってたまんない、早く保育施設に預けてでもパートをした方がいいということになりかねない。児童虐待、待機児童の激増、保育施設の慢性的不足、少子化の進行を見ると、現在、子育てを回避したいというそんな風土が蔓延しているのではないだろうか。

2．子育てで取り組むべき課題

現在、子育ては親に子どもを養育する権利とそれゆえに責任が与えられている。いわば、生殺与奪の権利と責任が親にある。言い換えると子育ては、私事性とされている。しかし、子育ての知恵は既に伝承性を失っている。それゆえ、子育ての知識とその対処の方策は公的機関に限りなく依存しなければならなくなっている。また、様々な現代社会システムが生み出す社会的矛盾によって生み出される災害から未成熟期の子どもを守る責任は、私事的範囲を超えている。しかもその責任は未来的展望を必要とする。その点では、原発事故災害の回避と同じような長期的展望を必要とする。言い換えれば、こうした問題の課題解決の対処にあたる政治家が仮に高齢者であったら、その解決は彼の死後の時点を念頭に置かなければならない可能性も高い。ということは、自己の直接的な政治的野心を超えてこの社会の未来像についてリアルで、かつ想像力のある展望を持たなければならない。そのためにはこの社会の歴史についても深い学習が求められるのである。

子育ても同じである。子育ては親の権利だといって自らの私事性を主張するだけでは、未来的な展望を持つ幼児たちを保障することはできない。言い換えれば、私事性を謳う根拠として、次の３点が必要になる。

（1）子育てが親の権利だとして、私事性を主張する大きな理由は、子どもが生きて学ぶために大切なモチベーションが親と子の関係から生まれるかである。我が子への愛という熱き想いを持って、どこまで子育てにアンガージュ（参加）していけるか。

（2）にもかかわらず、子育ての知識も経験もすべてずぶの素人であるという自己認識を持つことができるか。

（3）大人としての日常生活前のテンポの維持と幼児とのカップリングに入ることを余儀なくされることの葛藤を引き受けることができるか。

以上の３点を受けると、当事者として引き受けるスタンスは受苦を通しての喜びの共有（子育ての苦労なしに子育ての喜びもない）である。こうした実感を体験的に獲得しようとする新婚世代が増えないことには、現在、低迷の一途を辿っている合計特殊出生率の向上は望むべくもないのである。この点を親として引き受けることで初めて、子育ての私事性における権利と責任が全うされる。ここに男女の差は全くない。そこの男女の差を持ち込もうとする論理は、企業競争の立場から男の育児参加を遅らせせようとする日本の財界人の理屈であったり、いたずらに母性を強調し、古い良妻賢母思想を復活しようとする復古的保守政治家の発想である。公的機関との連携は、親のこうした私事性の基礎の上に成り立っていくべきなのである。

3．現代社会における子育てが陥りやすい落とし穴

しかし、ここで筆者が主張していることは、現在の日本の経済的安定の基盤を確保しようという政治的意図が優先される限り、その実現は決して容易ではないことも想定される。若い夫婦が子育てを回避したいと考える発想は、子育て行為に特化された現象だけではないからである。グローバリズムの普及は、市場経済の世界的普及であり、平均的市民の生活は賃金労働による報酬によって消費生活を送る大量の中産階級を輩出させたのである。彼らの家庭生活は衣食住に限らず、家庭生活の教育、娯楽、福祉、医療などの精神的側

面のニーズもすべて、消費行為によって賄われている。家庭の省力化はそれに拍車をかけたのである。言い換えれば、生活文化を自己産出したり、自己再生産する余地は年々激減しているのである。その典型は、食事である。その理由は市場経済において人々の生活心情の原則的基準は生産活動に従事し、より有利なステイタスや高収入を獲得することであり、消費部門である家庭生活はそれを補完するものという固定観念が支配しており、家庭生活を第二義的に考える傾向は大きい。こうした傾向は、家庭生活を生産活動からの単なる解放の場、心身を弛緩させておく場と見なす傾向を生み出してきた。家庭生活には確かにそうした側面も認めないわけにはいかない。そうした考え方が女性を専業主婦の立場に立たせ男女差別を常識化してきたのである。かつて肉体労働中心の自営農家などでは、労働する場の緩やかな役割分担はあったけれども、家事労働を受け持つ農家の主婦の役割は極めて多様で、主婦の家庭の経営能力は重要な意味を持っていた。消費生活の拡大と省力化の進行は、手づくり作業や文化が失われていくとともに、家庭内のコミュニケーションや身体的供応の文化創生力の喪失をも意味していた。そうした家事の省力化や消費行為化は、やがて、手塩にかけるという言葉が示すように、育児力の自力性を減退させるボディーブローとなっていくのである。

その結果として、親たちは子育ての権利を私事性として保持したまま、この子育てを消費行為として自腹を切る見返りとして、良き結果のみにこだわって「専門家」に預けるのである。子育てに対する親の努力は自腹を切ることでしかない。こうした傾向は、良き商品を購入するのと同様であり、子育てサービスは、商品価値として評価されるに過ぎない。ここから、サービスを受ける当事者は、貨幣を支払う親であって、直接ケアのサービスを受ける当事者である子どもがこのサービスをどう受け止めるかは、親のケアし—ケアされる関係をどう診断するかに関わってくる。言い換えれば、ケアを受ける子どもの拒否権（これは子ども自身親に訴える力も不十分であり、親の受容力も不足している）をどこまで認知し、それを受信できるかは、親次第ということになる。結果として、子どもの立場は二の次になる。現代、子どもの学習塾選びが早期教育に走る理由と同じことがここにも現出する。

4．我々は子育てにどう取り組むべきか

今後の子育て問題に対する構えは、前述のように母親による子育ての知恵の伝承が今や喪失したという地点に立って考える必要がある。子育ての知恵の伝承が成立するためには、三世代同居による大家族が存在し、子沢山の時代で、できれば、母系性社会であること、あるいは、家族共同体と地域共同体との連携が存在するなど、婚姻し子どもを二人以上出産する世代の女性（10代後半から40代前半）が身近に生活し、その子育て行為をみてまねられる状況がなければならない。しかしそうした社会状況は喪失し、今は、核家族中心で、子育て未経験の世代が多く、親世代も自己経験の明確な記憶もほぼ喪失してしまっている。また出産経験を持つ世代も、産科医院への依存度の多い経験であり、自己経験を未経験者に伝達するインパクトは弱い。いわゆる子育てを母性愛や母性本能によって語ろうとする母性神話は、上述の社会状況においてある程度の説得力を持っていたとしても、今や虚構に過ぎない。野生のチンパンジーのメスは女系家族の中で育つので、自分の子どもを出産すると子育てをするが、動物園の檻の中で育つチンパンジーのメスは、自分の子を分娩した後、臍の緒も切らずに、子どものケアもしないという話を聞い

たことがある。比喩的にいえば、今、出産を迎えた妊婦は檻の中のチンパンジーと同じ状況にあるといってよい。檻の中で生まれたチンパンジーの子は、飼育係の手を借りなければ育たないと同様、現代の親は自力では子どもを育てる力はないのである。

さらに現代の子育ての場合、もしかしたら我々人間はもっと悪い状況にあるかもしれない。なぜなら、共働きで安定した経済的基盤を持つ夫婦に起こりがちな一般的傾向は次のようなものである。親権を持つ親は、子育てに対する知恵を持たないし、子育てはしんどい。そこで経済的能力を持つ親は、この経済力を使って子どもへの親権を行使しようとする。例えば、子育てを“専門家”に預ける。その際、その代価として自己資金を支払う。言い換えれば消費行為として子育てを他者に依存する。つまり親の愛は子育てに支払う金銭的代価に換算される。今という時代は平安時代の貴族の子育てに匹敵する乳母依存の時代といってもよい。親の「愛」は、貨幣の価値に代替される。そしてこの傾向は義務教育段階を経て高等学校から、大学受験に至るにつれて顕在化する。特に医者の場合、親から子へと医業を職業的遺産として継承したい希望が強いようであり、医科大学への受験教育への投資額は著しく高い。こうした状況は、親の愛が遺産相続の努力という側面を含んでいる。こうした親の努力が親の愛の印として正当化されるか否かは、子どもの主体的意志が十分に発揮され、親の努力を自己の主体的選択として選んだかどうかにかかっている。しかし、子どもの主体的意志が十分に発揮できない年齢の段階で親は子どもの進路を先取りしてしまうケースがほとんどなのである。

5．私事としての子育てと公共的課題としての保育の連携

以上の論旨から、子育てという仕事を始めとして、公共的な保育に至るまでの未成熟期のヒトの成長・発達に対する養育の責任についての構想を、従来の家庭保育（私事性）と公共の「保育」の連携という近代主義的パラダイムを全面的に変換する構図を提供する必要がある。既に述べた通り、子どもを養育するというモチベーションは家庭の私事性に基づくものであり、それを「愛」という言葉で表してきた。しかし、その愛（love）は、公共の営みとしての教育活動においては、偏狭であるがゆえに、この教育活動を支える教職においては、「教育愛」としてアガペーという普遍性のある「愛」によって行うという理念が形而上学的に求められてきた。しかし、この「愛」はあくまでも要請されるもの「かくあるべきもの」（ゾーレン）としてであって、モチベーション（動機）として具体化されるわけではない。それゆえ、我々が私事性である子育てから、未成熟期の養育を預かる公共施設の保育の理念は、親たちのニーズに基づくそれらの集合的合意に支えられていると考えざるを得ない。そこに、国民国家の側からの市民養成の意図が仮に含まれていたとしても、義務教育ほどには、それは顕在化されていない（例えば、幼児教育段階では君が代の斉唱、国旗掲揚、道徳教育の時間はまだ設定されていない）。

従って多くの親たちの子どもの教育に対する私事的な教育要求は競争原理に傾きやすい。それが学力テストを重視する現代学校教育の優秀性（excellence）追求の論理と一致すると、就学前教育として、知育、体育、情操教育をそれぞれ特化させた早期教育へと傾斜した親のニーズに沿った幼稚園経営が流行することにもなる。しかし建て前では幼児の発達の特質に従うという点から、幼稚園教育要領や

保育所保育指針では遊びを中心とする保育を重視するという原則を謳った上で、義務教育との連携が強調されている。例えば、５領域という保育内容についてのカテゴリーについては、教科概念との相違がこれまで強調されてきた。しかし遊びを中心とする保育の総合性を重視し、幼児の主体的活動を実現しようとすれば、そこに領域的な思考を介入させることは保育者には極めて難しく、教科的活動に結びつける方が易しい。結果として保育者がこの領域的な思考を先行させれば、遊びを中心とする保育は成立しにくい。教師の枠組みを先行させるプロジェクトにしかならないのである。現状において遊び保育が普及しない理由がここにある。これまでの議論を前提にすれば、現代人は子育てについてどう対処すべきかについて根底からの思考変換が求められる。

６．保育学の課題

私事性として家庭の責任であり、公共的視点からは不干渉とされた子育て問題も少子化の進行が将来の労働力の不足を招く一方、高齢者の生存率の増加が、老齢年金や医療費の増加など国家財政を逼迫させる事態は世界各国共通の課題となっている。それゆえ、子育て問題を市民の普遍的課題としてかつ国家課題として捉える必要がある。そしてその課題を思考問題として追究するのが保育学である。上述の考察から保育学は次の前提から思考を展開する必要がある。

（１）我々が動物種の中でのヒトである限り、子育ての習俗をきちんと守り伝承していかないと種として滅びていくという危機感を持つ必要がある。

（２）高度に発展した情報化した社会になればなるほど核家族化が進行し家庭生活は省力化し、消費生活化が進行し、家族の成員間のコミュニケーションの頻度は努力しないと減少傾向にある。それゆえ子育ての習俗は伝承されなくなってきている。加えて、性文化における生殖行為としての性とエンジョイメントとしての性の分離も進行し、男女の婚姻と出産との関係も益々オプショナルな行為となってきている。今や妊娠した女性は子育ての習俗に対し無知無能である点で檻の中の霊長類の状態にある。しかしその責任は決して女性にのみ帰すべきではなく、現代社会の生活様式が招いた必然である。

（3）もし我々現代人がこの現代社会を維持しつつ生存し続けたいのであれば、かつて存在していた子育ての習俗を現代社会の知見によって再構築しなければならない。その使命を担うのが保育学である。

（4）保育学の課題は、伝承されなくなった子育ての習俗の知恵を関連する文献や映像資料をもとに学問的知見に基づいて批判的に再構成し、実践的に試行し、乳幼児期から就学年期に至る発達論的シークエンスに基づいて、改めて、家庭保育、広場型子育て支援センター、保育所保育、などの諸制度における保育実態を通底するケアしケアされる関係的在り方として捉え直す必要がある。その際、参照すべき隣接領域として、産科医学、小児科医学と助産師のケア、獣医学と動物園飼育係の動物の出産、育児へのケア、さらに霊長類学の母子関係はヒトの子育てにおける母子関係を知る上で比較論的に重要である。そしてそれらの知見を総合した上で、ヒトの胎児が誕生後、大人たちのケアを通してどのように成長・発達していくかを、大人と子どもの関係の在り方を通してその特色を明らかにしていく必要がある。

さらに、ここでは、発達概念の検討が必要となる。なぜなら、J. ピアジェに代表される欧米の発達観はあくまでも個を対象にしたものであり、その中核に認識の発達が構想される。言い換えれば、「心」の理論を中心にしている。ピアジェが教育改革などへの積極的発言を控えたのは、この発達を貫く論理の相対的自立性を主張したかったからに相違ない。しかし、ピアジェの発達観はその後、J. ブルーナーの「教育の過程」の知的早期教育論に大きく揺さぶられた。ブルーナーはその後自己の立場を反省し、この立場を批判するに至るが、早期教育は中産階級の教育に対する実質的な基本的ニーズとなっていく。グローバリズムと呼ばれる国際市場主義の時代になり、自由貿易による国際競争力が問われるようになり、特に経済発展の著しい東アジアを中心に、学力向上を目標にして優秀な人材を養成し、国益を守り、経済的に豊かになることを目標にしている。ここでは、早期教育を志向する政治的経済的外圧は教育制度や政策の通奏低音となっており、具体的には、アッパーミドルクラスの教育要求を実現するためのアメリカにおけるチャーター・スクール運動であり、日本では中高一貫校の増加であり、国策レベルでは、全国一斉学力テストの実施である。

この excellence を教育政策原理とする今日の現状は発達論的視点でどう読み解けるであろうか、言い換えると発達概念が内包する二つの相互に葛藤する観念である未来志向性と現在肯定性の間のバランスにどう影響するであろうか。先の二つの観念の中で、未来志向性は、子どもの発達をより促進させたいとするドライブ（動力）である。従って、早期教育的な外圧はこの観念を強化すべく働くことは自明である。しかし、この早期教育へのドライブはいかなる手法をとったとしても、結果的には、ブルーナーの仮説「教え方を工夫すれば、どの年齢のどの子にも教えられる」を裏切ることになりうる。こうした教えることへの過剰期待は、学力テストが持つ能力弁別フィルターを絶対視し、経済格差と成績の相関を無視することで学力の向上可能性の限界につきあたる。するとこの形成可能性への神話は、皮肉にも反転し生来の能力差を肯定しようとするジャンセン流の思想性にブチ当たるのである。なぜなら、教え方によって学びへのモチベーション（動機）を開発することには限界があるからである。

個人の発達のシークエンスを環境要因から相対的に独立する形で語ろうとするピアジェ流の西欧的発達観は、現代において、結果的に個々人の優秀性を志向する学校教育の能力観を支持するイデオロギーとなりやすいのである。さらに経済格差が学力格差と相関しているという事実を放置すれば、この事態を正当化することになり、人種間の差異を差別としてしまう傾向を生むことになる。

これに対し、我が国の伝統的な発達観である通過儀礼は興味深い特色を持っている。例えば七・五・三はそれぞれの年齢に達した子どもの発達を寿（ことほ）ぐ通過儀礼であるが、ここには、その喜びを共有する親族が地域共同体の守り神である氏神様に感謝するために晴れ着を着てお詣りするという儀式がある。こうした慣習には子どもが到達した発達の節目を家族共同体の皆で祝福するという意味があり、それは前述の発達概念が内包する現在肯定性を強調しているのである。しかもこの発達観が含意する現在肯定性は、発達主体の子どもだけでなく、その子どもの発達を支えてきた家族共同体のそれでもある。言い換えれば、子どもと共に、その養育を支えてきた人々の現在を肯定する、つまり寿いでいるのである。この発達観が示唆するものは、経済発展のために優秀な人材発掘を目指し、学力向上を志向する早期教育的な傾斜を強める教育体制と、消費行為として専門家に我が子の教育を委託し、親権者であり、教育費の負担者としてその結果のみに専ら関心を持つ親たちとの対比は明らかである。

（5）この共同体として次世代の子どもの発達の現在を寿ぐとい

う機制は、一見、皆で子どもの発達を寿ぐに過ぎないように見えるが、そこには、祝福される子どもにとって、新たな学びへの状況を提供しているのである。この発達を共同体が寿ぐという状況は、一つに、大人たちがみてまねるモデルを提示することであり、その祝祭性が集団によって担われることによってモースのいう威光性（他者の行為をまねたいと思っている未熟な学習者にとって、モデルとなる他者の行為が輝いているように見えること、このことは学習者のモデルに対するあこがれを強く喚起する）が発揮されると思うのである。モースは威光模倣における威光を放つ要因を共同体において一目を置かれる人物の人格性に求めたが、私は大人たちの集団が祝祭の中で自分たちのパフォーマンスによって高揚した雰囲気を醸成し、独特なハレの状況性をつくり出し、その状況に子どもが染まることも、子どもたちに対し威光性を与えることになり、大人たちのパフォーマンスへのみてまねる学習、言い換えれば、周辺参加への動機を形成することになると考えられる。

以上の考察からすれば、幼稚園や保育所、学校教育への親の参加は、従来の家庭と教育施設との連携論を根本的に見直し、親たちと子どもたちが共に生存している現在をハレとして寿ぐ、表現の場としての参加の機会として設定し、学校側はそのハレでの出会いをマッチメイクするという発想が必要である。そしてこの出会い自体が、周辺参加的に子どもの学びのモチベーションを強く喚起するのである。それは家庭教育の持つ人間形成力を再生することになるのである。

上述の考え方を実現している幼稚園の事例を紹介しよう。

今、筆者が観察している千葉県のA幼稚園は、伝統的に親たちの園行事等への参加が積極的である。例えば2,000人も集まる運動会などは父母（特に父親）の協力なしには成り立たない。この運動会は親、子ども、さらには地域の人々が主役なのである。しかしこの協力はこれまでの PTA のように、園の教育活動を手伝うというのではない。運動会は親たちにとって自分たちの楽しみの機会なのである。一つ目は、親たちが楽しみのために会う。二つ目は、心おきなく子どもと出会える機会であるからである。この運動会は親たちと子どもたちが共に楽しむお祭りなのである。幼稚園側は親と子どもとの素敵な出会いの場を提供するのである。親たちが本気で取り組み、心から楽しむ場に子どもは出会い、改めて親たちの輝く姿を見て親子の関係を更新するのである。運動会の盛り上がりはそこに地域社会が生まれたかのようなのである。家庭生活や家庭教育が大切だといわれながら、親にとっても子どもにとっても魅力を失いつつある現在、この運動会は家庭教育の復権につながると思われる。

7. 福島の復興と子育て

このように考えると、福島の復興を考えることと少子化を防ぎ、子育ての文化を再生することとの間には共通点があるといわざるを得ない。一口にいえば、それは総合的（holistic）な視点で捉える必要性があるということである。日本総研の子育て問題の研究者池本美香が述べたように、子どもを育てることは、森を育てることに通ずるのである。

今、福島原発周辺の最寄りの市町村で住民の帰還が許された地域でさえも、事故前の人口回復はおよそ望むべくもない。特に心身両面で地域と深いつながりがあった高齢者にとって地域の人々との交流や地域の自然との接触に自由を奪われた今日、本当の意味の復興（故郷再生）はほぼ不可能である。また、この地に誕生した子どもたちにとってもここを故郷と呼ぶことは難しくなった。親にしてみれば、放射能汚染の不安に我が子をさらしたくないからである。もし、福島が3.11以前の状態を取り戻すには、長期的な展望を持って取り組まざるを得ないであろう。それは、現在の幼児が大人になったとき、自立した人間として生きていける存在になり、かつ、そうした人間として健全な社会をつくっていけるようにという願いを込めた長期的展望のもとに、幼児教育（保育）の実践をするのと同じである。両者は長期的展望のもとに今と取り組まなければならないのである。

前述のように、家庭教育の重要性は、旧世代の愛が新世代に注がれ、新世代が旧世代の生き様を見てそこに威光性を感じて、その生き方にあこがれ、みてまねようとする動機を介して育つのである。旧世代の威光性はそこで生きる人々と自然や自然との関わりで生み出されてきた様々な地域の文化とも不可分である。だから新世代の旧世代へのあこがれは地域の自然や文化へのあこがれにも等しいのである。それは有名な「故郷」という歌を歌うときの心情と連なるのである。3.11はそうした人と人、人と自然、人と文化や歴史の結びつきをバラバラにしたのである。

このように、子育てへの総合的取り組みは、現在への取り組みが生活それ自体への取り組みであるという点で共通している。福島の復興も経済的な側面だけでは済まないであろう。祖先の墳墓を残して避難を余儀なくされた人々、家畜を殺して廃業せざるを得ず、故郷を離れた人、長年住み慣れ家族の思い出が詰まった立派な家があっても、そこに住めなくなった人、こうした人々はすべて故郷喪失者（デラシネ）であり、居場所をなくした人々である。もし、今、私が外出していて帰宅しようと思ったときに、「あなたの家の地域は何がしかの理由で立ち入り禁止地区になりました」といわれ、自宅に帰れず、住むこともできなくなったといわれたときの心情を想像してみただけでも、恐ろしいことである。そう考えると、この地域の人々にとって完全な復興などはあり得ないのである。この震災から受けた心の傷を癒すことなどそう簡単なことではないからだ。3.11を振り返ってみるとき、何の変哲もない変わり映えしないかのような日常生活がいかに様々な事柄によってつくり出されているかということがわかる。人々の様々な生活の営みは自然との総合的な関わりを通して実現されていることに気づくのである。子育ても幼児の教育も同じである。

前述の幼児を育てることは森を育てることに等しいという言葉にあるように、幼児を育てることは、大学受験のように短期間に詰め込むように勉強することで達成されるものではない。幼児を取り巻く生活全体が幼児の健全な成長・発達を保障する。先述のように[1)]、「発達障害」の子どもが増えているという事態は幼児を取り巻く環境全体の問題であり、その問題解決には幼児を取り巻く我々大人の日常生活それ自体を点検せざるを得ない。言い換えれば、長期的展望を持って森を育てることで海が豊かになるように、喫緊の子育て課題である少子化対策も長期的展望に立って幼児とそれを取り巻く環境全体を改善することでしか達成されない。それは福島の被災地の復興と同じである。私は福島原発事故に対して加害者としての責任があると思っている。戦後の原発政策の安全神話を容認してきた一人だからである。それは自分たち夫婦が生んだ子どもの育ちに責任を持って付き合っていくことと同じである。福島原発事故の災害は福島県以外の地域の人々には大きな実害はなかったとしても、日本人として受けた心の傷は決して小さくはなかったのである。今、幼児期にある子どもが大人になったとき、この日本の風土と人々の暮らしが平和と安全の地であることを願わずにはいられないとともに、そうした社会に生きる市民を育成するために現在の幼児教育を実践しなければならない。その課題は、この度、毎日新聞のインタビューに答えた福島県知事、内堀雅雄氏の言葉に示されている。即ち、「二度とこんな事故を起こしてはいけない。想定外の事故が起きた、では済まないということをまずいいたい。その上で、原子力に依存しない社会をつくろう、再生可能エネルギーの先駆けの地としてフロントランナーになろう」おそらくこの課題追求は廃炉問題の解決と同様、幼児教育の理念の実現とも等しく、牛歩の歩みの如く息の長く、地道で忍耐のいる仕事になるはずである。いかに高い理想を掲げてもその過程では絶えざる風化され忘れ去られる危険をくぐり抜ける努力が求められるはずである。そのためにも私は語り続けるつもりである。

1）小川博久「現代教育制度における『人間形成』機能の喪失と復権の可能性をさぐる」一般財団法人福島県幼児教育振興財団「研究紀要」第 25 号、2014 年

7

教育制度の中で生活教育を取り戻すことはできるか

一般財団法人福島県幼児教育振興財団
「研究紀要」第28号（2016年度）

はじめに

筆者は教育研究者として約50年の歴史を経験してきた。2016(平成28)年10月の初頭に九州大学で開催された学会（日本教育方法学会）に出席し、そこで時代の変わりゆく姿とともに、それにもかかわらず時代を超えて変わらない事実を合わせて体験してきた。今回は学会大会として52回目であり、筆者が最初にこの学会大会に出席したのが第2回大会だから、もう半世紀以上経ったことになる。文化の一部としての教育研究はかくして世代間に継承されていくものだと思う。人間は文化の総体を時代から時代へ、世代から世代に伝えることで現代の文化と生活をつくり出してきた。そして現代の文化も同様に未来の文化へと伝えられていく。この文化が世代間で伝承されることをデュルケイムは教育と呼んだ。とすれば、文化や文明を育てた人間は生きて歴史を重ねること自体が教育することであり、人は教育する動物といえるであろう。

しかし、この人間の歴史の中で、20～21世紀はこの教育の様相が大きく変貌を遂げた時代といえる。それは近代学校システムが義務教育を基盤として高等教育まで、さらに義務教育に至る幼児期のケアと教育制度も成立した。もちろん発展途上国では未だそこまで至っていない国も少なくない。しかし、そうした民族国家も先進資本主義国の教育制度をモデルにしてその充実に努めているところがほとんどである。中でも我が国は、先進資本主義国として、EU諸国、アメリカ合衆国、イギリス、カナダ、オーストラリア、ニュージーランド、中国、韓国、マレーシア、シンガポール、台湾等と並んで充実した制度を保有している。

とはいえ、我が国に絞ってみても教育にかける国家予算は上述の諸国に比べて低い位置にあることは有名である。これは、各家庭が我が子にかける多額の教育費を自己負担することによって、教育への高いニーズが維持されているからである。それだけ国民の教育へのニーズが高いので、高学歴が保持されているのである。

しかし、それは望ましいことといえるだろうか。確かに高学歴が将来、高収入の生活を保障する可能性が高いという意識を国民が植えつけられてきたという点では、学歴信仰の意識は高いといえるかもしれない。しかし、一方児童虐待の数は上昇傾向が止まらず、いじめも中々防止の効果が現れないという影の部分も進行している。こうした傾向をどう見たらよいのであろうか。確かに高学歴の国々では、教育制度の充実とともに、経済的発展も目覚ましく、国民の総生産（GNP）も上昇した。しかし同時に国民の経済格差も拡大し、教育格差も生まれている。子どもたちは学力テストの序列化の中で勉強に明け暮れると同時に、いじめや不登校の割合も増大し、そこに含まれない子どもたちも学級集団の人間関係に気を遣わなければならない状況にある。我が国は少子化の下、入学者の確保に奔走しなければならない状態の中で、依然大学進学者数は多い。反面、例えば、それほど高い偏差値を求めなくとも入学可能な保育者養成学部に入る学生たちの中には、「私、バカだから」とか、「私勉強嫌いだから」などといい、学業へのモチベーションを失い、学習者としての自覚のない学生も多いという。これは幼児教育から高等教育まで最も整備された教育体制を持つ先進資本主義国の一つである日本が、国益になる少数精鋭の優秀な人材を養成することに成功したとしても、他方で国民一人ひとりが賢く生きるための知性や感性を育むという営みに成功していないからである。こうした事実は、今や国家成立の一要素としての義務教育体制自体を問い直してみる必要があるのではないだろうか。

1．誕生時のケアと教育の関わりから幼児期の教育を見直す

私はこれまで幼児教育の専門家として生きてきた。元々、教育学を専攻し、義務教育の研究を対象にしていた者が幼児教育へと転進した当時、周囲の人々から、幼児教育を低く見るという偏見にさらされた。この偏見は今も残存している。十数年前、国の幼児教育政策に関わる会議に出席した折、一人の心理学者が公式の場で私に問うてきた。「幼児教育のカリキュラム（教育課程）に『遊び』が位置づけられているが、そのエビデンスはあるか」というものであった。私はこう問い直した。「小学校の教育課程を構成している教科で、例えば、算数、国語、社会といった教科はそうしたエビデンスを持っているのか」、答えはなかった。教育会議に自分の学問的見識をどう適用できるのかについて自覚のない心理学者が自己の学問的優位性を誇示するのは、しばしば見られるものである。

最近になって、私は自分の研究者としての不明を恥じる事実に気づいたことがある。それは義務教育を対象にする教育学に対して、保育学をその派生と見なす一常識的立場は哲学的に正しいかという点である。教育哲学的に考えれば、保育という概念こそ、教育学の基盤に据えなければならないのではないか、と思うのである。以下そのことを論じよう。

我々幼児教育の研究者が使う基本的概念である「保育」の定義を検討してみよう。保育という概念は、「保護」と「教育」という概念で構成されるとされてきた。保育という分野は一般的には、誕生時の乳児から、就学前までの乳幼児を対象にするということからすれば、上述の二つの概念で捉えられるのは当然だろう。歴史的に見れば、明治期における近代教育制度の成立の過程は以下のようなものであった。まず、近代国家を構成する基本的条件として義務教育

制度が構想され、幼児教育は本来、親の私的権利とされ、家庭教育の守備範囲とされてきた。その結果、幼稚園教育制度は当初、近代国家体制の整備状況を国際的に誇示するための装置でしかなかった。一方保育制度は、日清戦争、日露戦争を経て資本主義経済が発展し、都市労働者階級の誕生のもとで、家庭保育を補完する施設として民間の保育施設、二葉幼稚園が生まれた。近代国家として保育施設の必要性が問われたのは大正大震災後であり、福祉施設としての保育所への関心が本格的に取り上げられたのは、戦後のエンゼルプラン以後といってよいだろう。こうした歴史的な背景から、国民の教育要求に応じて、近代国家が福祉と教育の課題として保育実践（幼児教育実践）と保育学（幼児教育研究）の構築を自らの責任として位置づけるようになったのは、最近のことである。それゆえ、これまで、保育学が長い間、義務教育を対象にする教育学の派生的存在とされてきたのはやむを得ざる事実であった。

しかし、エンゼルプラン以後、経済的背景から幼保の一体化が推進されてきた。この制度改革は、幼児の発達に沿った保育（幼児教育）本来の必然性から生まれたものではない。一方、幼稚園教育は、保育実践の面で独自の文化を育ててきたという優位性がある。しかしそれにもかかわらず、今後は、０～６歳に至る乳幼児期の発達に沿った保育実践の過程を対象に保育学を構想せざるを得ない。なぜならそれが最も自然な流れであるからである。仮にこれまでの歴史的経緯から、幼稚園教育の歴史にそれ自体の独自性があるとしても、それは０～６歳の発達過程の保育との関連の中で、位置づけ直す必要がある。つまり、０～３歳未満の保育と３～５歳の幼稚園教育との連携をどうするか、幼稚園教育における半日保育と午後の預かり保育との関連づけを問うべきかなどは今日的課題として今後取り上げていくべきことである。

2．保育の基盤としての保護することから教育へ

多くの人々が「教育」という言葉から学校教育のみを想定するようになっている最近までは、幼児期の教育も、制度としての幼稚園を想定し、保育所はむしろ福祉施設として副次的なものと見なす傾向が支配的であった。しかし、エンゼルプラン以降の幼保の一体化の傾向は、地方自治体の経済的事情から全国的に公立幼稚園を廃止する傾向が支配的になり、認定こども園へと移行するところも増えてきた。結果として、義務教育段階を補完する機能としての就学前教育という言葉よりも、待機児童問題が焦点化される乳幼児期に関心が集まり、保育という言葉がより強い響きを持つようになった。そこで改めて「保育」という言葉の意義を問い直してみることにしよう。

「保育」という言葉は保護と教育という二つの語から構成されている。英訳すると“early childhood education and care”ということになる。人間の成育は母体が妊娠をし、子宮にいる段階を胎児といい、この時期は専ら、母体に保護（ケア）されて育つ。哺乳類におけるこのシステムは他の動物種に比べて子どもの成育の安全性が高いといわれる。もちろんこの時期に精神的にも肉体的にも母体の安定した生活が保障されることが、胎児の胎教によいとされる。反面、母体の危機は胎児の危機に直結する。それは、母親がストレスを感ずるような言葉を浴びせられるとき、子宮の中の胎児が身を縮める様子がCTスキャンの画像で確認されている。ただここでいう胎教というのは母体を庇護することで胎児の健全な成育を図るという意味では、胎教（教育）と保護の区別はできない。つまり、厳密には、教育は成立していない。出産後、新生児の睡眠、食事、排泄等、生命維持に関わる保護を遂行する際、親は自身の身体を使っ

てケアを行う。抱きしめる。乳房を含ませる。オムツを替える。眠らせる。こうした身体行為によって初めて親と子の間の相互コミュニケーションが成立するのである。

まず、母親が新生児に乳房を含ませる。新生児は母乳の出る量に応じて吸飲するリズムを調整する。また親が胸に抱いて我が子を眠らせる。これは、親の心臓の鼓動と新生児の鼓動は後者が親の２倍の速さで鼓動を打つ。すると、２、４、６、８……の周期で両者は同期し、その効果で、新生児は睡眠状態になる。また、新生児の泣きは新生児の生理的変化を伝えるシグナルである。新生児の泣きの要因が睡眠欲求、空腹、不快、体調不良等であり、この変化を新生児の泣き方から聞き分けることができれば、新生児も泣き分けるようになるという。もし、新生児が眠いのであれば、抱きながらお尻の辺りを軽く叩いたり、ゆりかごをゆっくり揺すりながら、子守唄を歌うことで睡眠へと誘うことができる。あるいは、新生児が排泄によってオムツが汚れ、不快状態になって泣いたのに気づき、オムツを取り替えるときには、新生児がまだ言語の意味を理解する段階になくても、親は新生児の泣きに応えて、オムツを替えながら思わずこう語りかけたりするものである。「○○ちゃん、待っててね、すぐ取り替えるからね、はい、お待ちどおさま、ほーら、気持ちよくなったでしょう」と。このとき、新生児は言葉の意味はわからないが、親の語りかけの間、親の唇の動きを注視するのである。そして、その動きと音声が止まった次の瞬間、両手両足を動かして応答するのである。お互いが笑顔を交わし合うコミュニケーションを通じて喜びを共有し合う。

この動作の交換は、親と子の言語コミュニケーションが生まれるための応答関係の確立である。人間の新生児は誕生の瞬間から親が舌を出すと新生児もそれに応答するといわれている。これは言語能力を持つヒトだけが持つ能力である。発話者が音声を発する際に、対話者はその発話者の発声を受ける体勢に入り、相互のこの交換が両者の間で成立する。この応答のリズムを身につけることが、コミュニケーション手段として言語能力を獲得するためには欠かせないのである。それだけではない。親がオムツを取り替えながら、そのことで、新生児の不快感が快感に変わることを予知して「……ほら気持ちよくなったでしょう」と呼びかけながら、新生児に笑顔を向ける。一方、新生児はオムツの交換により不快感が快感に変わる実感を持ちつつ、目の前の親の笑顔に出会う。結果的に、親の笑顔は自己の快感と結びつき、親にとって子どもの笑顔は子どもの可愛さであり、オムツを替えるというケアへのフィードバックとして映る。こうしたケアに伴う応答関係こそ子どもを育てたいと思う親の愛の源泉なのである。ではこうしたケアの関係から教育作用がどのようにして生まれてくるのだろうか。

3．無自覚的保護から自覚的保護へ
―教育作用との分岐点―

生まれ落ちた瞬間の新生児は非力である。自分だけでは何もできない。特にヒトの子は大人の保護なしには生きていくことはできない。だから、当然のことながら、親は慣習に従って誕生した新生児をケアする（保護する）。いやそれ以前に、母親であれば、母体の内にある段階で胎児は母体の生理のルールに従いながらも、胎児独自の動きをすることで、他者性を母親に予知させる。妊娠後５ヶ月も経過すると、胎児は子宮の中で動き出し、母体の外の者にも「赤ちゃんが動いているでしょ」とその存在を知らせる。また、母親自身の身体にも、「つわり」という体調の変化や、食べ物の好みが変わったこととして知らせる。やがて出産時には、動物種のヒトだけが獲得した直立歩行という習性のゆえに、骨盤が狭くなり、直径10センチになった狭い産道を通って、体外に出なければならない。一方、言語を使用する能力を獲得することで、前頭葉を中心に拡大した脳を持つ胎児が、出てくるということになる。この矛盾を解決するにはポルトマンのいう生理的早産（胎内で成熟したら自力では体外に出てこられないので、未熟の段階で出産する）の機制があるという。しかし、それにもかかわらず、他の哺乳類に比べて陣痛の苦しみは大きい。

以上の理由から、誕生直後のヒトの新生児は未成熟であり、一人では生きられない。しかし、母親にとってみれば、自己の身体の延長線上にありつつ、他者として分離した存在である。乳幼児期における親と子で展開される“イナイ・イナイ・バー”の遊びはこの時期の親子関係を象徴する遊びである。この遊びは、子どもにとっては、親に庇護されたいという欲求と自立したいという欲求の葛藤表現でもある。親にしてみれば、子どもをケアすることを通して、自分の守備範囲の中に我が子を留め置こうする一方で、子どもは生育過程で、親の庇護を離れ、親や大人たちの立ち居振る舞いを見て、それにあこがれ、まねしつつ、試行錯誤を繰り返しながら個体として自力でできることを一つ一つやり遂げようとしている姿でもある。親がこの関係性を知るがゆえに、思わず試みる“イナイ・イナイ・バー”は、我が子との絆を確認しつつ、親の不在に耐えうる力を我が子に確認させる遊びになっている。こうした遊びは、子どもをケアするという営みから教育という営みが自覚的に生まれてくるきっかけであるといえよう。例えば、親が“イナイ・イナイ・バー”を仕掛けることは幼児が喜ぶからで、それ自体は無自覚で行われる限り、それはケアともいえるし、無意図的教育ともいえるのであって、線引きしてどちらかに分類する必要はない。ケアと教育は一体化して区別する必要はない。ではどのようにして教育作用は分離されるのか。

一つは、ケアの対象である存在がケアされる過程の中で、自ら自立し、やがてケアすべき配慮事項としての個々の項目（例えば、オムツがとれて自分でトイレが使える、自分で食器を持って食べられる等）が不必要になることへの自覚を持つこと。もう一つは、上述の事態に対し、ケアする者がそれまで必要であった配慮事項を意図的自覚的に消去できること、三つは、ケア事項の消去を通して、幼児自身によって自力で達成したことを親が評価奨励する立場に立つことである。そこにこうした教育意識がケアする側に芽生えるのである。

ケアも、そこで生まれる教育作用も、親と子の日常生活の中で成立しており、親は日常生活の多面的営みの一部として保育に関わっている。それゆえ、育児に関わりつつ、それを終了すれば、その他の生活局面に関心を移さねばならない。例えば、炊事、掃除、洗濯では、親と子の包摂関係を解消し、モノとの関わりに集中するため子どもから離れ、子どもとの間に距離を置くという点で、一時的に緩やかな排除関係になる。そして、幼児の成長につれて、次第に育児が緩やかな包摂関係になるにつれてケアによる応答や同調関係が確立すれば（例えば、スプーンによる離乳食の提供においてリズムに合った同調と応答の関係が生まれると）、親が、炊事や掃除洗濯などの家事に切り換えたときも、この緩やかな包摂と排除の関係の中で、幼児はケアする側にあった親の背中を追う＝あこがれるという機制が働き、親のまねをするという状況学習が生まれる可能性が開かれる。これは幼児の自立志向を促す力になりうるのである。

この過程を言い換えると、幼児をケアするという関係において、ケアする親自体が幼児の生命維持の目的のための身体的関与を解き、抱擁による快体験（柔らかくて可愛い）から離れ自己の生活課題の解決に向かう（食事づくり）際に、幼児自身の側にも親の自由を認め、自らにも自立への志向がある。この事実に親自身がケアする中で気づくのである。子どもを抱くことで子どもの命の安全性を守っているつもりでいる親は、同時に幼子を抱くことのぬくもりの感情にも包まれるであろう。そしてそれは、そうした愛しい命を授けられた幸せの感情にも満たされるであろう。しかし親はその小さな命がやがて抱かれることに抗い、自ら見つけた外の世界に向かって動き出そうとする瞬間に出合うことになる。そのとき、親はこの小さな生命が自ら行動を起こす存在であり、自分とは異なる他者であることに気づくのである。そこで親は、愛しき子を抱くという一体感やそれに伴う心地よさを捨て、幼児が興味を抱く方向へ動くことを許容し、抱くことで感じている包摂感を放棄し（抱く手を解き、子どもが自分の足で歩くことを認め）、幼児の動向を見守るという態度に自分の関わり方を変更するのである。この変更こそ教育的意識の誕生と私は呼びたい。それはケアとしての関与の仕方の一部を適時に取り除き、幼児の自己達成を奨励できるようにすることである。

このように考えれば、誕生時の親子のケアという関係性から人にとって原型となるべき教育的関係が発生するのであり、従って保育こそ真に望ましい教育関係が成立する場であるということが明らかになる。それゆえ、保育の営みこそ望ましい教育関係を考える基盤であるということになる。言い換えれば、ケアを基盤としてそこから立ち現れる教育は、ケアする側とケアされる側の相互的な関係性に基づいて教育意識が成立し、そこでは幼児の自立を保障する形でケアが構想されることになる。それはケアが有する親と子の包摂関係（命を守り―守られる関係）を基盤としながら、守られる側の命が、自らの生命活動の縄張りを確立しようとする動きである。そこで生命活動を守る側はケアの在り方をより間接的関わりへと変更するのである（身体接触で守ることから抱く～手をつなぐことから見守ることへ）。こうした保育の関係性は、ケアする側の権力性は必然的に伴うけれども、ケアされる側へのフィードバックがあり、それが関係の心地よさをも保障している。その意味で教育的意識の成立は親の権力性の相対化でもある。こうした関係性は、教授―学習の機制を基盤とする現代の学校教育を批判的に検討する視点を提供してくれるはずである。例えば、現憲法の規定に従えば、義務教育制度は、国民一人ひとりが教育を受ける権利を保障するための制度である。そうした建て前のもとで、不登校の児童が存在し続けるということは、許されるべきことではない。なぜなら命を守ることと教育は切り離せないからである。ましてや、経済格差が教育格差を生むなどという事態は放置していい事態ではない。ケアに始まる保育を基盤とした地点から教育を考える視点に立つと、上述のような見方が可能になるのである。なぜなら、教育の前提は共に生きることであり、他者との共生があって初めて教育が始まるからである。

4．近代教育制度としての義務教育制度の問題点

12月に入って、教育界にとって一般的には明るいと見なされるニュースが飛び込んできた。それは学力テストの成績が国際比較において上昇したという報道である。しかし、そうした報道に単純に喜べないニュースがあった。それは、福島原発の被害を恐れて神奈川県と新潟県に移住した子どもが学校でいじめられたという報道である。このいじめに対して父母からの学校への相談に対して学校側は対処せず、文部科学省が介入した。その中で、特に問題視されたのが担任教師の態度であった。担任は子どもたちが対象児をいじめ

る際に「……菌」呼ばわりしたことに便乗して、担任も「菌さん」呼ばわりした、というのである。この担任の態度は、自身はもとより言外であり、弁解の余地はない。私が問題にしたいのは、これは担任個人の問題であろうかということである。私は、この担任個人の問題にしてしまう現在の状況自体に問題があると思うのである。

まず第一に、国側のいじめ対策の問題点を挙げなければならない。文部科学省は確かにいじめ対策を、学校カウンセラーの投入、警察や教育委員会などとの連携で強化すると述べている。しかし、いじめが発生する現在の学校生活それ自体へのメスを入れようとはしていない。なぜなら、学校カウンセラーが入るだけで学校生活の変貌は可能ではない。第二に、今回のいじめで特徴的なことは、福島原発の被災者であるということである。3.11の大震災はあの時点で、日本全体を震撼させた。加えて、福島原発事故は、政府の隠蔽にもかかわらず、諸外国のマスコミがその被害の真相を正確に伝えたことから、その被害の甚大さは日増しに暴かれ、全国的に原発反対の声が上がった。それゆえに、個人の判断で、県外に移住する人が出現した。あれから５年、廃炉の処理は膨大な負債になることが明らかになってもなお、処理の行方は不明であり、廃棄物の処理も、汚染水の処理も多くの課題を残したまま、その被害報道の数は激減している。政府は、福島原発の被災の回復が遅々としてままならないにもかかわらず、原発推進政策を維持し、各地の原子力発電の維持とインドなどへの原発輸出を推進し、採算の見通しがないにもかかわらず、高速増殖炉“もんじゅ”は廃炉にしても、高速炉開発の維持のための予算措置を決定した。鹿児島県知事として九州電力川内原発の再稼動反対を掲げて当選した知事は公約を裏切って、川内原発の再稼動を事実上認めた。今や国民の多くは福島原発の災害はなかったことのように振る舞っているように見える。

５年前のあの時点では、関東地方の人はもちろん、中部地方の幼稚園でも放射能測定器を購入し、周囲の測定を続ける程ナーバスになっていたのである。そして東北地方の被災地にボランティアとして出向いた人も全国にいた。つまり、多くの国民が東北地方の人々の状況に身につまされ、自分も被害者の立場を共有していたはずであった。特に関東地方の人々は、福島原発の電力がすべて関東地方の人々に供給された電力であり、この点からも、福島の人々の被災に対して感ずるところは大きかったはずである。

しかし、５年過ぎた今、新潟と神奈川の小学校で福島原発の被災者の子どもがいじめにあった。この事実はたまたま二つの学校で起きた特殊な事例なのだろうか。この児童は誠に運悪くいじめに鈍感な教師に出会ってしまったのだろうか。

いや、そうではない。もっと悲観的なシナリオも想定できるのではないか。まず、政府はオリンピックを東京に誘致したいために、東日本大震災の災害状況は既に収束した、と述べた。しかし、廃炉問題を始めとして22兆円もかかるという試算が出てきた。これほど問題が解決していないことを雄弁に語っているものはない。では我々国民はどうか。最近のこれまでの選挙で、原発反対は票にならないともいわれている。確かに、新潟県知事選挙と鹿児島県知事選挙では、原発反対派が勝利した。しかし、原子力規制委員会では、相次いで原子力発電の稼動を認可してきている。これに対する世論の反対は見えてこない。政府のプルトニウム再利用計画についても将来採算の合う研究成果に対して否定的見解が多いにもかかわらず、原発再稼動政策は推進されていく。熊本地震、鳥取地震、福島県沖の震度５の地震と日本列島の地下が不安定であることは気象庁や専門家が認めており、この間、福島第一原子力発電所の冷却水の注入が一時停止したが、問題は生じなかったという報道もあり、よく考えれば、政府をはじめ、マスコミも国民全体も福島原発の話題を忘れたがっているのではないだろうか、悪くいえば、それはなかったことにしたいのではないかと疑いたくなるのである。もしそうした我々日本人の「臭いものに蓋をしたい」という国民感情が、子どもたちの世界に反映して、福島の被災者の子をいじめられっ子にし、「……菌」呼ばわりにするという事件が起こったとしたら、こんな恐ろしいことはない。しかもこれは１ヶ所だけで起きているのではない。出来事に類似性があるのである。今全国で起きているいじめ事件にこれまでも学校側の対応は遅いし、鈍い。おまけに、被害者が原発事故の被災者の子どもであるという事実は、この事実を隠蔽しようとする暗黙の意思が、担任を含めて学校当局にも働き今日の結果を招いているとしたら、こうした現代の大多数の日本人の暗黙の共通感情があるとしたら、空恐ろしいことではないだろうか。

それは、沖縄のオスプレイの基地設営の反対闘争の地域住民に対し、それを阻止する機動隊として派遣された大阪府所属の警察官が住民を「土人」呼ばわりをした事実を、差別発言と認めない大阪府の知事や、官房長官、担当大臣らの態度とも共通している。ちなみに私は戦前この言葉がどう使われたかを少年期に知っている。戦後生まれには死語のはずである。戦前におけるこの語のニュアンスを知らなければ使えないはずなのだ。これは、沖縄の人々が日本人であるがゆえに背負っている負担の苦しみを、差別することで無視するだけでなく、その存在までも認めまいとして排除し、何も問題は起きていないとする精神構造である。このことが、日本列島に住む人間の共存を認めようとしない心をいつの間にか子どもに伝えてしまっているとしたら、それこそ道徳教育の否定でしかないのである。我々は福島原発の災害を忘れてはならないのである。それは我々日本人が猛省し続けるべき出来事なのである。私は、この出来事がなかったことのように振る舞うこうした大人社会の空気があるのではないかと気になって仕方がない。

現在の学校教育は、学力テストの向上には極めて敏感である。しかし、学校という生活空間の中で、子どもたちが毎日、お互いに集団生活を楽しんでいるのか、学びにおいて他者がいることを幸せと感じているのかが気になるのである。いじめ事件は私の危惧を大きくさせている。そして、その最大の理由は、現代の学校における教育のシステムが教授―学習という、知識伝達のシステムにあって、効率化のみが求められている。言い換えれば、学びの中に相互コミュニケーションが失われているのではないか、学びの効率性の追求のあまり、学びに伴う感性が失われているのではないか。子どもたちは新しい命が生まれてくる瞬間を牧場で体験するといった学びを体験しているのだろうか。それが命を大切にする思いへとつながると思うのである。身体全体で生活場面に参加し、そこでの体験を通して言葉で括り切れないものを学ぶことが必要ではないのか。

5．生活教育を見直そう

―身体全体による相互作用、相互コミュニケーションを取り戻すために―

生活教育が重要だという主張は目新しく斬新な主張でもなんでもない。大正時代に始まって以来、繰り返し主張されてきたからである。しかし国の政策では、これまでも途中で批判が大きくなり、変更を迫られてきた。理由は学力低下をもたらすというのである。言い換えれば、要望は大きくも実現は難しいのである。古くはペスタロッチの有名な言葉「生活が陶冶（人間形成）する」がそれである。つまり、人が暮らしを営むということ自体にヒトを人に育てるという働きがあるということであり、フレーベルは植物の生育を人の成長・発達のモデルにした。こうした先人の知恵は、時代を超えて我々教育に携わる人間に反省を促す知恵を与えてくれる。にもかかわらず、生活教育への復権はいつもなぜ途中で挫折するのであろうか。その理由は考えてみれば、明らかである。

まず第一に、近代学校教育制度は、ベル・ランカスターシステムの導入に見られるように、近代産業の労働者や近代的軍隊養成のために、前近代社会の日常生活から、子どもを引き離し生活と無関係な学校という空間に閉じ込めて教授―学習という形式で知識技術を伝えようとする制度だからである。この教授―学習形式は、共同体の中で生活の知恵と技能を身につける状況学習とは、全く異なる抽象的な記号を学ぶための学習である。

近代社会の構造やその運営を司る近代科学技術は、数学や自然諸科学の抽象化された記号体系を学ぶことによって生み出されてきた。そしてその学びは教授―学習の蓄積によって生み出されてきたものである。学校体系の高度化がそれを支えてきた。この教授―学習形式は大人社会が次世代に伝える必要性があると思われる知識技術を最も効率的に伝達可能なシステムである。教師は学校機関でこの役割を果たすべく訓練された専門職というわけである。現代のように、こうした学校制度で養成された人材が国家の経済発展と深く結びつく時代にあって、その人材確保が保障されるうちは、その教育制度に様々な問題があったとしても、その教育制度の骨格の変更はあり得ない。そして、その人材養成が少数エリートで充足されると考えられている限り教育制度は変わらないだろう。

しかし、エリート養成中心の教育制度が当たり前となり、次のようなことも起こっている。学力テストによる選別が、教育制度全般に普及し、学校間の格差が明確になる。その結果、高校から大学にかけて周辺校の学生たちは、高校の進学相談係によって、入学時の偏差値レベルで入学可能な大学を推薦されることになり、自己の能力にレッテルを貼ってしまう。そしてそれが入学後の学習意欲を削ぐ結果を生んでいる。この傾向は学力テストによる教育システムの序列化が学生たちの学ぶ姿勢を抑圧しているのであり、学ぶことで自己啓発の可能性を増大させるという教育本来の目的そのものを否定していることになる。

現行の憲法の定めるところによれば、少なくとも義務教育段階ではすべての国民が教育を受ける権利があり、その権利によって国民一人ひとりが自分の能力を十全に発揮できなければならないはずである。とすれば現行の教育制度において、いじめや不登校として未解決のままであることは教育当局にとって許されることではない。このような場合、生活教育の理念が現行の教育制度の内容方法への批判として、あるいは、現行の制度を補完するものとして提唱されるのはいわば当然の傾向である。

なぜなら、かつての共同体の中で、親の仕事は、息子が一緒に仕事をする中できちんと受け継がれていった。一緒に仕事をする限り、落ちこぼれは生まれない。つまり生活を通じて、父親の仕事を学ぶことで父親に代わっていくことができる。前述のように、この発想は現代の教授—学習の形式に対する批判にもかかわらず、十全に実現することはなかった。

その理由としては、生活教育的理念が折衷的に教授—学習に適用されたところにあった。例えば芋掘り体験をさせても、それはイベントのように一回的で、生活としての継続性に欠けているとか、生活の現場に連れて行っても、教師が一々説明をしてしまうといった具合である。そこで生活教育的環境と実践を備えるにはどういう条件を具備すべきかを考えてみよう。

まず条件の一つは、生活体験の学習や遊びにおける教育者の役割である。教授—学習形式における教師の役割ではない。それとは逆の教えない教育である。生活とは人が生活をするために自分を取り巻いている世界のモノや人と関わりながら生きていくことであり、学ぶものは、その生活者の生き様を見習うことで自分の生き方を体得するのである。それゆえ、教えない教育とは、その人の生き様が見る人を引きつけ、学ぶ側はその生き様を見習うことで自分の生き方を会得し自分を実現していくのである。従って、見習う側にとってその生き様が魅力的であるということ、つまり、その姿に興味と関心を抱かなければ学習は成立しない。ということは、モデルとなる大人は環境を構成するモノとの関わりや人との関わりの姿が、学ぶ側から見て魅力的であることが求められる。例えば、マキを割る姿や稲を刈る姿がかっこよく映る、ということである。そしてこの関係を成立させる条件が保育という営みの中にある。前述のように、この保護（ケア）する＝包摂することと、見守りつつ解き放つこととの葛藤する関係が、親をみてまねるという学びを発動させるのである。

この応答と同調のノリの共有が親子関係に終わらず、より広い人間関係の中で行われることは、生活体験上必要なことであり、集団遊びは発達上不可欠なことである。この異年齢遊び集団における文化的格差を利用した包摂と排除のシステム（年長の子は子守集団の責任者として、生活面では、年少児をケアするが、遊び場面では、遊べない子として遊びから排除する）は、年少者をして年長者が占有する遊びの文化にあこがれ、みてまねるという学びを生み出していた。しかもこの遊びの伝承が、歌うという同調と応答のリズム（ノリ）を介して伝承されたという事実は、生活体験の学びを改めて構想する上で極めて示唆に富む先例ではないだろうか。しかし、現在、この異年齢集団遊びは市井（しせい）から姿を消してしまった。これに代わる活動の場を保育の制度の中で再生させることは我々保育研究者の責務である。そのためには、異年齢集団遊びの構造を生活体験の学びのシステムとして読み替えてみる必要がある。それが、私がこれまで研究者として努めてきたことであった。拙著『遊び保育論』[1)]は多くの課題を抱えているが、そのための一つの証である。

第二の条件は、生活体験における学びは、教授—学習の学びと異なり、状況（環境）に適応し、そこから生きる術を獲得する身体的学びであり、学ぶ対象がモノであれ人であれ、その学び方は身体を使って獲得する術なのである。言い換えれば、感覚を研ぎ澄ます必要がある。アスレチックの選手たちにとって技量を高めるために必要なのは、繰り返しの練習である。身体で覚えるということは繰り返して練習することなのである。そしてここで繰り返されるのは試行錯誤である。棒高跳びの選手の練習を見たことがある。希望する高さへの挑戦で跳べることはあっても、跳べないことつまり失敗することの方が多い、だからコンスタントに跳ぶためには、繰り返し繰り返し練習する。そして失敗する度に成功したときの自分を振り返り、反省点を見出し、今度は成功させようとチャレンジする。うまくいったときの様子と失敗体験とを比較しながら練習を繰り返す。この過程を第三の条件である試行錯誤と呼ぶのである。身体が覚えるということは、この繰り返しの中での試行錯誤は欠かせない。うまくいくためには感覚を研ぎ澄まし、失敗の反省にはどうしてかと頭を働かせる（知能の働き、成功体験を定着させるには、慣れる（ハビトス）を獲得する）ことが必要である。

このようにいうと、生活体験には強力な訓練を強いる体験が必要なように聞こえるかもしれない。確かに、体育指導などでは、指導者が強制的に繰り返しをさせることも多い。そのためそれを嫌う子どももいるだろう。しかし、生活体験の中での繰り返しは、学ぶ側が自分のモチベーションで繰り返すのである。学ぶ側がモデルとなる人の動きにあこがれが強ければ、強いほど、繰り返しの試行錯誤の末に、自分の技の向上に気づいていくのである。この具体例としては、我が子が一輪車を習得する過程の事例がある。彼女は小学校低学年の頃、学校で一輪車がはやっているのに動機づけられ、我が家の１～２メートル程の裏口の端から端までの間隙を利用して、繰り返し一輪車で行き来し、それができると、次に校庭の固定遊具間などの広い間隙を利用し、やがて長い距離を走れるようになっていった。また幼児の型抜きの姿を見ていると成功率に関係なく、容器を抜いた後の形が崩れているかいないかにハラハラする体験を楽しんでいるようであった。いずれにせよ幼児において、自ら繰り返しを求める場合には、強制される繰り返しと異なり、幼児にとって同じ行為へのアンコールといってよい。楽しいからこそ果てしなく繰り返すのである。

しかし、この試行錯誤には、生活教育のもう一つ大切な第四の条件が潜んでいる。子どもにとって楽しい体験のみならず、辛い体験も含まれていることである。上述の試行錯誤は、失敗を含むということであり、この失敗が辛い体験にもなるということでもある。さらに、この負の体験を他者と共有することは、成功体験より、他者と生活上の価値体験の共有をすることができる。例えば、一緒に掃除をすることは、当初決して楽しい経験とはいえない。しかし反面、例えば、便所掃除のような活動であれ、それは生活秩序を整えることであり、共同生活上の達成すべき価値を共有し、成し遂げた喜びを味わうとともに、協働する際のプロセスを同じノリで行う喜びを体感するという良さもある。しかし、この体験が同時に、重いものを移動させるといった苦行体験を伴う場合も少なくない。こうした苦行体験を伴う場合、この両義的体験こそ生活行為としてふさわしい。人生は苦楽相まみえるものだからであり、苦楽体験が含まれることで、この落差こそ体験の質を自覚する機会になるからであり、協働体験においてノリを共有した同士は、協働体験における苦楽も仕事の達成感も共有する可能性が高いはずである。なぜなら、身体的なノリの同調は心情的な共感に共鳴する可能性が大きいからである。そして苦行体験の共有こそ強い連帯感を育てるからである。

以上のような生活体験的学びで大切にすべき条件の第五は、時間軸の問題である。こうした体験的学びで重視されるのはリダンダンシー（冗長性）ということである。この原理は近代教育制度の学習原理である効率性を求める学びとは逆のものである。むしろ無駄を大切にする学びなのだ。こう考えると近代教育制度に生活体験的学びを取り入れることの困難さが明らかになるし、これまでのこうした発想の試みが中途半端に終わらざるを得なかったことも明らかになるであろう。改めて「ゆっくり、じっくり、行きつ戻りつ生きよう」ということだ。上述の試行錯誤の繰り返しで最後は課題を解決できるのも、この時間感覚があるからである。こうした生活体験の学びの条件は、すべて、教授―学習形式とは根本的に異質なものであり、近代学校の原理とは安易な折衷を許さないものである。とすれば、両者を共存させるにはそれなりの工夫が求められるのである。

6．生活体験の場として保育制度の再構築を

とはいえ、現代の教授―学習形式による教育制度の欠陥も明らかである以上、生活体験的学びのシステムを現代社会の中に位置づける必要がある。せめて保育の過程には実現したいものである。その最大の理由は、教授―学習形式の教育制度は幼児期から大学、さらには大学院と年々拡大の一途を遂げ、学業を終え、就労にあたって

も社員研修などの研修機会もイノベーションや企業種の多様化とともに益々増大しており、学ばされる機会は増えることはあっても減ることはないからである。それにもかかわらず、現代の生活人は実業の世界で仕事をしつつ、それぞれの修業の場で状況学習をせざるを得ない場面は無限に残されている。学業時にインターン、教育実習、就業実習、体験訓練といった体験教育が課されている業種が無数あるのはそのためである。しかし、こうした体験学習も時代の趨勢の中で、一部はロボット等の機械に代替されたり、マニュアル化されたりして、実業に着いたとき、実習体験は役に立たないといった事態も現れている。

それは今最も危惧すべきことに、生活体験の伝承によって維持されてきた子育て文化の知恵の伝承が失われつつあるからである。児童虐待の激増はその現れともいえる。生活共同体の中で、大家族による家事労働の共同の中に位置づけられていた育児は、母と子、家族と兄弟姉妹の生活のリズム、即ち同調と応答関係の「ノリ」の共有を生み出す生活基盤に支えられていた。核家族になり、個人個人の活動の場や時間帯が分化され、省力化された消費生活においては、身体的な動きとして継続的に連動しなければならない（一緒に重い荷物を運ぶ）といった生活課題はもはやない。人々が出会わざるを得ない場面は家族においてさえ、時間軸でいえば「面」から「線」へ、さらに「点」へと変化しているのである。こうした状況の中で、誕生直後は、親と子が「面」や「線」として出会わざるを得ない。この出会い減少の中で、上述の保育が本来持っていた「じっくり、ゆっくり、行きつ戻りつした」生活体験の学びが幼児はもとより、親や保育者の大人にも失われているのである。親の育児ストレスの生まれる所以がここにある。

こうした育児の危機を克服するためには、上述した保育という営みを制度化したシステムの中で、先の生活体験的学びを確立し直すことが必要なのである。保育においてこそ、その教育理念を実現する可能性が最も高いと思われる。中でも保育の中での遊びは集団的活動の状況に参加することで学びが成立するのである。問題はこうした学びの場を近代社会の制度の中で実現せねばならないのだ。現代社会制度の効率性を求めて構築されるという教育原則とどう折り合いをつけるかである。子どもの立場に立って、子どもたちが生活状況をどう生き抜くかという視点から保育を構想しなければならない。そのためにはまず、我々大人たちが現在の自分たちの生き方と向き合う必要があるのではないか。

1）小川博久『遊び保育論』萌文書林、2010年

8

子育てへの新たな取り組みはどうすれば可能か

―広い視野から身近な日常の子どもとの関係を考える―

一般財団法人福島県幼児教育振興財団
「研究紀要」第29号（2017年度）

はじめに

20世紀から21世紀に変わって、高度に発達した情報化社会は日々目まぐるしく変化しているようだ。ここ数年、著しく変化した風景に、この大都会を走る電車の中の様子がある。私はJR中央線をよく利用していて、その車内で気づくのは、本を読む人の姿が激減し、大部分の人がスマホを見ていること、電車の中の集団のお喋りがあまり聞こえなくなったということである。このことと関係するのかどうかはわからないが、大都市では、公衆の場での赤ちゃんの泣き声にナーバスに反応する人が多くなるなど、人々が直接出会うことを好まなくなっているようだ。

待機児童の解消は、自治体はもちろん、政府にとっても喫緊の懸案であることが新聞で連日のように報道されているにもかかわらず、2017（平成29）年9月21日（木）の朝日新聞の朝刊には、「保育園開設また難航」という見出しで、「吉祥寺駅南の一ヶ所延期」という記事が掲載された。その予定地は住宅地の中の市所有地で、母親4,000人以上の署名があり、市議会は全会一致で新設を採択。しかし住民との4回の話し合いでもまとまらない。反対意見は「自動車送迎の父母によって交通渋滞が起こる」「園児の声がうるさい」などである。以前、同じ市内に開設予定だった保育所も近隣住民の強い反対意見運動で開設を断念している。

今から30年程前、都市近郊に住む高名なギリシャ哲学者が新聞のコラムに書いたエッセイの中で、自分が仕事をする書斎が小学校の校庭と隣接しており、校庭で騒ぐ子どもたちの声が自分には心地よく、心を癒すと語っている。子どもの声に対するこうした反応の違いはいったいどうして生まれるのか？

私が今住んでいる東京都国分寺市にある自宅は、戦後に畑から住宅地になったところにあり、1958（昭和33）年から住み始めて約60年になる。大学3年生から大学院修了までと、その後の北海道教育大学釧路校勤務の4年間（1969−1973年）を除き、以後、東京学芸大学を経て聖徳大学を定年退職してから現在まで、この家を住まいとしてきた。この間、この地での結婚生活と年老いた父母との二世代同居、二人の娘の子育てと認知症の親の介護、娘たちの巣立ちに立ち会い、今、老後生活を経験している。2、30年前に比べると、我が家の周辺で近隣の小学校に通学する子どもの数もめっきり少なくなっているように感じる。そんな中、近い将来誕生する私の孫がこの地で育つかもしれない。この地は私の孫をどう迎えるのであろうか。こうした「地域」の変化と自分史を関わらせつつ振り返り、現在の保育の課題を省察してみたい。

1．私にとって「地域」とは何か

私は、子育てだけではなく日常生活全般において「地域」のつながりが大切だと頭の中では考えてきた。研究者の一人として理論的にはわかったつもりでいたし、そうした言説を書いたこともあった。しかし、このことを言葉の上で理解することと、当事者として実感することとの間には大きな隔たりがあることに気づいたのは、定年近くになってからであった。

その一つのきっかけは、母の認知症である。95歳で死亡するまで80歳台後半の母は、認知症が徐々に進行する日々を過ごしていた。この頃、母はよく自分の生家のあった「太田（茨城県常陸太田市）へ帰りたい」というセリフを繰り返していた。そこで機会があれば、そのセリフを口実に車椅子に乗せて散歩に出かけた。すると、「そこを右に行って」とか、「そこを左に曲がって」ということで太田に帰っていくつもりになるのである。やがて、母がどこにいるのかわからなくなるのを見極めて帰宅するというのが散歩の日課であった。何とも切ない話である。そんな想いがあったせいか、生きているうちに、母に故郷を見せてやりたいという気持ちが芽生え、家族で常陸太田を訪ねたことがあった。母の旧友のお子さんが経営する旅館に１泊し、次の朝、母の生家の薬種問屋のあった場所に車で近づくと、母の表情が急に険しくなり、近づくことを厳しく拒否する態度を示し始めたのだ。我々は慌てて引き返した。生家が破産し、女学生の身で差し押さえの現場に立ち会った忌まわしい体験が蘇ったのかもしれない。認知症の脳裏に去来する「太田に帰りたい」という母の想念にマッチした現実は、もはや存在しなかったのだ。母にとっての「故郷」は実在しなかったのである。

そもそも、都市生活者にとって「地域」とはどこにあり、どうしたら見つけられるのか。この問いに答える前に、今暮らしている我が家のある街は私にとって「地域」といえるのか。そこで問われるのが「地域」という言葉である。私が昔書いた地理教育の論文によると「地域＝region」という概念は、アイルランドとかブリテンという場合、島国であり、図形的に閉ざされた空間であることから了解しやすいのに対し、経度と緯度で囲まれたアメリカのユタ州、ネバダ州、コロラド州、ニューメキシコ州などは図形的に了解しにくい。なぜそう思うのか？　その理由はこの概念が生まれた起源にある。この概念は、人が居住し、生活手段を見つけられる範囲（テリトリー）を「地域」と呼ぶことで生まれた。それゆえ、その範囲は原則としては居住者を中心としてそこからの生活行動空間をめぐって描かれる。もし、その居住者が地域内に自分のテリトリーを俯瞰できる地点を見つけたら、そこからその全貌を把握したくなるに違いない。もし「region」の概念がこのようなものだとしたら、地域は、単なる空間の広がりではなく、人々の生活圏を意味することになる。

そこで、私の住んでいる自宅を中心とする生活圏が「地域」であるとして、私はそれをきちんと描けるだろうか。自分の住んでいる行政区である国分寺市を私の「地域」として認識できるだろうか。残念ながら、私は国分寺市を我が「地域」として断定はできない。なぜだろうか。我が家の住所（国分寺市）は、1958（昭和33）年当時、「国分寺町戸倉新田飛び地」とされていた。元々ここは、富士山の噴火によって形成された関東ローム層から成る沖積台地で、無人の雑木林であった。16世紀に井戸の掘削技術が開発され、奥多摩の戸倉部落や武蔵村山の中藤部落など水源の豊かな山間部に住む住民の次男三男がこの地に移り住み、集落を形成した。それで戸倉新田、中藤新田というのである。しかし、高台のため水田耕作は不可能で畑作中心のため、戦前までは貧しい地域であったことを、この地で教師をしていた我が父から聞き及んでいる。しかし、昭和30年代から宅地化が進行し、今や都心通勤者を中心とする中産階級の住宅地に変貌している。

独身時代はこの地に住みながら、この居住地とのつながりは家族との関わりを除いて皆無といってよかった。ただ、東京学芸大学に勤務していた当時、青少年健全育成の委員として、小金井地区の子ども会活動や地域公民館の活動の一つである母親グループの調査や、公民館付設の広場での母子の遊びについて観察調査などをゼミの一環として行ったりした。しかし、これらはあくまでも大学の研究教育活動の域を出るものではなかった。

私が家庭を持ち子育てを経験する時代（1980−82年）から、1991（平成3）年に父が逝去し、2003（平成15）年に認知症の母の死を迎えるまでの約20年間は、仕事一途であった私も、二世代同居生活の関係から、育児と老父母との人間関係や老父母の高齢化（85-90歳以後）に伴う介護に関わらざるを得なかった。特に、明治生まれの男性中心の家庭教育観の父と、男女平等観に基づいて共働きを選ぶ私の妻との生き方の違いを調整せざるを得ない私の立場は、私の弟妹には親不孝の兄の印象を与えたのである。また、80歳台に入ってからの母の認知症の進行に対するケアなど、家庭の家事に関わらざるを得ない部分が生活の一部となっていた。現住所が所属する一区画の住人については、我が家の北隣と東隣の名前と顔を知るのみで、家族構成も詳しくは知らない。ましてやそれ以上のことは知る由もなかった。町内会の会議には妻が出席しており、毎年、この地域の盆踊り大会があるのは知っていたが出席したことはなく、旧戸倉地区の氏神様である戸倉神社には元旦に家族で初詣に行くくらいで、祭りに参加したこともない。思えば、当然といえば当然である。私の家族の生活は、世帯主である私が、この地域から離れた場所にある大学の勤務から得られる収入で維持されており、消費財の購入も地域に依存しなくて済む。それゆえ、日常生活の中で自宅周辺の住人の誰とも関わる必要はないのである。確かに、二人の娘が地域の幼稚園・小学校・中学校に通学していた当時は、子どもとの関係で地域との関わりが生まれていたが、子どもが成長した後は地域との関わりも失われた。そんな中、国分寺市光公民館・図書館運営委員に招聘され、光公民館主催の市民講座の「子育て講座」の講師を担当することになった。それまでの私にとって国分寺市とはどういうところかという問いに対する答えは、「無回答」であったといわざるを得ない。しかし、子育て講座との関わりを通して多くの主婦の人たちと関わり、光公民館に保育室が生まれることにつながり、公民館の市民講座も多くの市民が利用できる日常的な講座に変わるきっかけにもなった。とはいえ、この関わりも公民館側からの依頼に応えた“仕事”であり、ボランティアで関わったのではないので、その後の関わりはない。こうして見ると、日常的に「地域」と関わりを持続させることは決して容易なことではない。

2．情報化社会における「地域」との関わりの課題

前節でのささやかな自己体験の紹介でも明らかなように、自分の意識の中では「地域」＝「自己の生活圏との関わり」を重視してきたつもりであったが、振り返ってみたとき、それは日常的で必然的な関わりといえるものではなかった。前述のように「地域」と離れた場所にある就労の場で賃金収入を得て、「地域」に依存しない消費生活が可能で、日々テレビやスマホを通して「地域」に関係のない他者と情報のやりとりをして過ごしている多くの都市生活者にとって、自分の居住している場所の空気も、居住地を取り囲んでいる木々草花も、土の匂いも、自分の必要な生活とは切り離されていると感じているし、また無関係でも生きていけると思っているのである。

しかし、こうした実感が破られる瞬間は、父の老後の介護の機会に訪れた。父が熱中症で倒れたとき、引き受ける病院が近隣になく、1ヶ所だけ引き受けてくれた病院があったのだが、まだ意識のあった父への病院のケアがひどく、父は「なぜこんなところに入れたのか」と私を恨んだのである。そのわけはこうである。夜、看護師が回診し、点滴をする際に、薬剤を注入する血管を見つけるのに苦労し、父を動かさないようにするために四肢をベッドに縛りつけたというのだ。父はこの処置で、自分が拘束され、侮辱されたと感じ、この病院に入院させた私に限りない不信感を抱いたのである。しかし、他に引き受けてくれる病院もなく、父の抗議を聞くわけにはい

かなかった。そこで、夜間の家族の個人的付き添いを認めていない病院側と強引に交渉し、簡易ベッドを持ち込み付き添うことにした。

約10日前後付き添ったが、ある晩の午前2時か3時頃だったと思う。「ドン」とベッドから何かが落ちる大きな音に目を覚まされ、すぐその場に駆けつけると、見るところ70歳前後の上品な容貌の老婦人がうずくまるようにして床に倒れていた。私はすぐナースルームに行き就寝中の看護師を叩き起こしたが、看護師は目を擦りながら迷惑そうに話を聞く始末であった。ここは患者ベッドが50床前後あるフロアに2～3人の宿直看護師がいるものの、夜間の見回りは一切しないという病院であった。入院中気づいたことは、入院患者の多くが高齢者層で、親族が見舞いに訪れることは滅多になく、数日ごとに病室の移動を命じられているのである。理由は、死亡者が出たベッドのある部屋に、この事実を知らない新たな患者を入室させるシステムであったためであり、近隣ではこの病院だけが高齢者患者を引き受ける“姥捨山”となっていたのである。

当時、バルト三国がロシアから独立し、合唱が盛んなリトアニアの高齢者たちが月桂樹や花々の冠を頭に被り、独立を祝い、歌い上げている精気に満ちた映像がテレビで放映されていたのを見て、経済的豊かさを誇る日本の中のこの病院の高齢者患者とを対比せざるを得なかった。バブル経済の中で、日常の介護や医療を通して「地域」との関わりの不在を経験させられたのである。

3．現代における情報の氾濫と物的豊かさと、人間関係的「ぬくもり」の不在

2017（平成29）年8月16日付の毎日新聞によると、昨年2016（平成28）年度の児童虐待の件数は、12万2,578件、死者は86人で、

前年度より19％増であったという。データの正確さにはいろいろな議論はあるにしても、今後のことが気づかわれる。こうした現象がなぜ生まれるのであろうか。現在問題になっている経済格差の拡大によるものだろうか。仮にそうだとして、昔は貧しい家庭の子どもが貧困に耐えて立派に成人し、有名になった人の話が数多く聞かれたが、今は貧困が即、虐待につながるのだろうか。

経済格差により貧困層が拡大しているとはいえ、経済状況自体は悪化しているとはいえず、多くの中間層は、一応、現在の豊かな消費生活を享受し、ネット社会の情報を利用して便利さの中で日常を過ごしているように見える。

こうした状況の中でなぜ、虐待が増えるのか。我々の生活に何が欠落しているのか。結婚して死ぬまで添い遂げることがよいかどうかはさておき、結婚当初にトラブルの多かった私たちを含め、多くの夫婦が年を経るに従ってトラブルがなくなっていき、平常の関係に暮らしているケースも多い。つまり、習慣化が困難を克服するということは、あり得ることなのである。現在、ネット社会では、匿名で様々な意見が交わされ、そこでは相手の人格を誹謗するような、悪口雑言が行き交っている。これは、匿名であれば、他者に対する嫌悪の感情の無制限の暴発が許されているということである。一方、フェイス・トゥー・フェイス（顔を突き合わせて）の面では、お互いに思い切ったことをいえないという世情がある。

こうした世情は子育てにどう影響するのだろう。我が子とは面と向かって関わらざるを得ず、しかも親は我が子に対して生命与奪の権利を持っているにもかかわらず、我が子を自分の意思通りに動かすこともできない。良い関係を構築するためには、ギブ・アンド・テイクつまりは子どものペースに合わせること、言い換えれば待つことが必要なのである。現代人はそうした対人関係に対する耐性が育っておらず、そうした一面が、虐待の増加という現象の背景に現れたと解することはできないだろうか。子育てに成功した親たちの感想を聞くと、多くの人は「子育てが楽しかった」という。ここには、虐待する親との著しい差を感じる。いったいこの差はどこから生まれるのだろうか。

このとき、私はオリンピックを目指すアスリートの姿を思い浮かべる。良い記録を目指して毎日厳しい練習に励む姿を見ていると、第三者の我々は「なんでこんなに辛い練習をするのか」「私にはとてもできない」と思うかもしれない。しかし、こうした厳しい練習を繰り返しているうちに、段々苦しさが軽減されてくるだけでなく、練習終了後の開放感や、食事の美味しさが加味されてくる。こうした毎日を繰り返すことで普通であるという心情が形成される。そしてオリンピック選手の候補になるような人は、幼少の頃から学校や地域の大会で優勝したりする経歴の持ち主であることが多く、努力することで味わう大きな喜びを経験しているはずである。ということは、初めは辛く苦しい体験もやがて苦しさは軽減されてゆき、代わって体験の後の自己成長感や、努力の報酬の喜びも体験しているはずである。

もし、子育ての体験もこうしたアスリートの努力と同じ構えで実践したら、楽しく体験できると思うのである。とはいえこのアスリート的努力と子育ての努力との決定的違いは、前者は自己自身の身体への統制の問題であるのに対し、後者は他者である幼児との関係に対する統制（コントロール）の問題である。では、テニスや卓球、バドミントンのダブルスでのアスリートの関係ではどうだろう。もちろん、簡単には比較できないが、この場合、両者は独立したタレント性を持っており、お互いに競い合うほどの高度な能力を持ち、お互いを調整し合えていると考えられる。少なくとも出産前後の妊婦や乳児の死亡率が高く、陣痛の苦しみから軽減されることもない時代であれば、こうした比喩も妥当だと思われたかもしれない。

しかし、現代は出産時の陣痛を軽減する無痛分娩を選ぶ傾向もアメリカなどでは一般的になっており、子育てもできる限り省力化しようとする配慮の方が支配的になっている。家庭保育の場合、歴史的に家事の一部とされてきた育児は、家事の省力化、消費行為の一環として他者依存の傾向に支配され、努力を軽減する方向を志向してきた。特に我が国の場合、家事・育児が女性の一方的責任とされてきた歴史から、男女共同参画社会の宣言によって女性の就労参加が奨励される状況の中で、男性の育児参加に対して企業の協力が遅れており、女性の家事育児からの解放のみが先行される結果になっている。もちろん、これそのものを否定する理由はない。そもそも女性だけが育児に責任を負うべきだという考え方は、否定すべきものなのだから。

ただ、事実として、親権を持つ親たちの育児責任に対する対応を、子どもの健全な発達の側面から考察する視点が欠落し、国家や地方自治体による待機児童の受け皿としての公的保育施設整備へのニーズのみが先行する事態が出現している。仮に、こうしたニーズに応えることが現代社会の政治当局の果たすべき責任であることを認めざるを得ないとしても、親から公的保育施設に子どもを収容すれば、問題は解決するということではない。なぜなら、子育ては親権を持つ親の責任であり、家庭保育における親と子の健全な応答関係を維持するという課題を、保育施設における保育者と幼児たちとの健全な応答関係の確立という課題へと橋渡しする必要があるからである。保育施設の新設に伴う保育者不足という現実からすれば、当然、保育者志望の若い学生に対する保育者養成の課題として対処する必要があろう。そしてそれには、保育者養成カリキュラムや保育者実習の条件が不備な現代の保育者養成校の課題を無視することはできない。しかし、親権者である親の育児責任も決して無視はできまい。喫緊の課題へと問題を絞り込むほど、現代社会全体の問題点が浮かび上がるというのが、現在の状況なのである。

4．世情の不安定の中での個別化され孤立化した日常と、宙づりの平和がもたらすもの

2017（平成29）年10月7日（土）のニュースで、国連の核兵器禁止条約の批准に貢献したスイスの国際的団体（ICAN・核兵器廃絶国際キャンペーン）にノーベル平和賞が授与されたということが報道された。この報道で、この団体のメンバーである高齢の被爆者たちの喜びの言葉とともに、再び原爆被災が起こることのない平和への思いが語られていた。原爆被災者たちの言葉の重みは果たしてどれだけ多くの人々の心に響いているのであろうか。東京大空襲時に、防空壕の中から見た空いっぱいに広がって連隊を組む無数のB29爆撃機の威圧感と爆音のすさまじさと結びついて私の記憶に残っている。それは、戦争という出来事の不気味さを皮膚で感じた瞬間であった。この想いは私も戦争体験者だからこそ響いたのかもしれない。果たしてそれは戦後の平和な時代に育った人たちに伝わるのだろうか。戦争で犠牲になるのは、兵士だけではなく子どもとその親であることは、歴史が教えている。

ただ、3.11の東日本の大地震と津波の災害に遭い、さらにはその災害の上に福島原発事故を体験した人々にはわかるに違いない。敗戦3年後の1948（昭和23）年になっても廃墟のままであった東京・新宿駅西口周辺の風景は小学6年生の私の記憶に鮮やかに残っており、この風景には世の終わりに身震いしたくなるような悪寒を覚え

たのであった。この思いは広島の原爆資料館を見学したときの実感とも通じていた。こうした戦争体験を反転させた平和への強い思いと叫びは、休日の街の賑わいが当たり前と思う人々の感覚に届くのであろうか。いったい、どうすれば原爆被災者の人々の重い言葉を受け止めることができるのか。多くの苦難と向き合いつつ、平和を築こうとするこの人々の心をどう継承できるであろうか。

現在、国際的には、世界の平和を脅かす紛争が中東で起こっており、東アジアでは北朝鮮の原爆実験やミサイル発射をめぐる報道がマスコミによって毎日のように取り上げられている。一旦、戦争になれば大変なことになるという不安が世情に漂っている。日々見聞する街の雰囲気は平和そのもので、外国人観光客の数も多い。人々は、国際社会の原爆実験やミサイル発射、それに対抗する合同軍事演習に、はるか遠くの嵐の襲来の予告であるかのようなそこはかとない不安を感じながらも、変わらない街の賑わいに浸っているのだろうか。

もう十年以上にも前になろうか。新宿駅で私がいた向かいのホームに入線してきた電車に投身自殺があり、私は電車の車中でのただならぬ騒ぎと雰囲気から、一瞬、隣の線路に目を落としたとき、電車とレールの間に若い人の白いシャツが吸い込まれていくシルエットを見たような気がした。私の乗った電車が駅で停車し乗客がホームにはき出されたとき、こちらのホームから向かいのホームを覗き込む乗客がホームに溢れ返っている姿が目に飛び込んできた。私は地下道に通じるホームの階段を降りながら、他者の死に対していとも簡単にクールな観客になれる現代人の心情に衝撃を受けていた。それ以来、毎年増え続ける児童虐待の記事や、夫婦の別れ話が原因で６人家族全員を殺して自宅に火を点けたという報道などがあった。何ごともない平和な街の情景である反面、それと全く無関係であるかのように非情で残酷な出来事が繰り返されている。おそらくそれらも、新宿駅での出来事のように、他者の死は自分に無関係な情報として通り過ぎていくのだろうか？　ただ不確定な不安感情だけを残して。

それにしても、表面的には平和的な状況を維持しつつ、潜在的には不安な感情を抱えているという生き方が結果的に大きな悲劇をもたらすというケースは、近年では少なくないような気がする。本人は否定しているが、我が子を撲殺した父親のケース。また、高速道路のパーキングエリアで、ワゴン車の進路を塞ぐようにして駐車していたのを注意され、このことを根に持ち、そのワゴン車を追い、極端に接近して走行し、前方に割り込んで速度を落とし、ワゴン車が車線変更をしても妨害する行為を1.4キロにわたって繰り返し、高速道路上に停車させ、胸ぐらを掴んで暴行を働いた上、停車したワゴン車にトラックが突っ込み死亡事故となった事件等、いずれも被害者意識から感情を暴発させた事件で、事態についての冷静な認識が欠如している。こうした事件が多発する世情においては、生まれた新生児が家族全員に祝福され健やかに育つ社会環境が用意されているのであろうか。もし若い夫婦が、孤立した都市環境で未経験の子育てに取り組まざるを得ないとすれば、上述のような社会不安の中で、さらなる育児不安を迎えるその負担は、幼児にも及ぶ可能性があるといわざるを得ない。

5．子育て支援施設としての「子育て広場」の意義と課題

都市環境、しかも近隣に知人も親族もいない状況の中で、未経験なまま子育てを始めなければならない若い親も少なくない。そうした親に上述のアスリートのような強い心で子育てをせよ、といって

も決して容易なことではないであろう。そんな親たちにとって、現在、設置されている広場型の子育て支援施設の持つ意義は大きい。アパートや団地の個室で幼児と向き合う日々は不安もストレスも決して小さくはないはずである。問題は、こうした施設が多くの幼児期の親子に開かれ、誰もが気軽に心地よく過ごせる場となるためにはどうすればよいかである。そこで、この問題に取り組むべき役割こそ、こうした子育て支援施設の職員にある。私はそのような職員を新たな保育者の専門職として養成すべきだと主張してきた。国が免許状を交付し、専門職としてのライセンスを与えることで、保育者としての社会的地位を確立したいと思うのである。その上で、子育て不安に悩む未経験の親と幼児が、こうした施設で豊かな子育て経験を得られるような支援を果たすことが大切なのである。そのためには、一つに、幼児期の発達についての学問的知識を獲得することであり、二つには、幼児の発達を支援する養育者の関わり方を臨床の場で見聞きしつつ実習体験をすることである。三つには、子育て体験中の親たちと対話しつつ、良き相談相手になれるようなカウンセリングマインドを持った対話能力を身につけることである。四つは、来場する親子が子育て広場でどのように振る舞うかについて観察しつつ学ぶことである。具体的には、（１）親と子の関係性であり、（２）親同士の関係性であり、（３）子ども同士の関係性である。そしてこの（３）は保育者の役割とも共通する。（１）と（２）は保育者の場合にも必要な役割の一部であるが、子育て支援の保育者の場合、1998（平成10）年に日本に紹介されたトーマス・ゴードンの『親業（おやぎょう）（Parent Effectiveness Training）』[1)] で主張された内容が中心となる。この四つ目の課題は、上述の三つの課題を遂行する上で最も基礎的な知識と態度を身につける上で必要となるものである。五つは、子育て広場といった施設自体の在り方を子育て文化の全貌の中でどう位置づけるかという問題に答えることである。

以上、五つの内容は、理論的に以上の四つの問題を総括的に括った内容としてまとめて語られはするが、二つ目と三つ目は、一つ目とは逆の方向から身につける内容なのである。まず、二つ目は、養育者と幼児との関係、即ちケアする営みそれ自体を、幼児を抱くことから、食事や排泄の世話等、身体的な応答関係を経験を通して体で身につける形で学ぶのであり、幼児の発達理解も、ケアするという応答関係を享受する段階から、身体的な関わりを軽減することで、応答関係を潜在化させるかわりに頭の中で想起し、観察者の立場に立ってこの関係を認識する必要がある。この役割変換は非常に大切なことであり、この変換をスムーズに行うことは決して容易ではない。なぜなら、当事者として幼児との応答関係における身体的「ノリ」の感覚を潜在化させながら、応答関係から後退するということは、身体的応答関係を認知的な身体図式として持ち続けながら、第三者的立場でその関係を観察するということだからである。言い換えれば、幼児と養育者の関係を観察しながら、自分が幼児と関わったときの応答関係の「ノリ」を想起し、反省的にそれを修正する思考を展開するのである。これは、アスリートが自分の競技パフォーマンスを動画に録り、その映像を見ながら、自分のパフォーマンスを修正しようと試みることと類似している。

三つ目の課題に取り組むには、井戸端会議のような日常の何気ないお喋りに参加する気安さを体現しつつ、この会話を通して、親と幼児の関係に潜む問題に気づき、相談の対話へと導く能力が養成される。ここには、これまでカウンセリング理論で蓄積した技法の他に、そうした技法を日常生活における社交の交わりの中で生かす能力が求められるのである。こうした能力を養成するには、日常の社交の場をフィールドとする、エスノグラフィック(文化人類学的)

な研究が必要なのである。子育て広場の職員の立場であれば、来場する親子との何気ない会話に介入する職員の関わり方について反省し省察するカンファレンスが必要となる。

子育て施設における現代の親と子の行動を観察し研究する四つ目の課題と、五つ目の現代における子育て支援施設の在り方についての課題を考えるには、子育ての文化が形成されてきた歴史への遡及的考察が必要である。共同体社会において、子どもの誕生は新しい労働世代の誕生であり、共同体全体が祝福すべき出来事であった。それゆえ、誕生後7日目に行うお七夜のお祝いには、お餅を近所に配り、子どもの命名をして、家族や近隣住民が集まって祝ったものである。家事労働だけでなく、生産労働においても地域との結びつきが多かった農村共同体では、子育ての知恵や様式も通過儀礼などを通して共有された歴史があった。もちろんそこにはプラスの面もマイナスの面もあったと思われる。

しかし、このことで子育ての知恵や手立てが世代間で伝承されてきたことは否定できない。もしできるならば、こうした子育ての伝統を「地域性」という定義において再生することができないであろうかという課題が、この子育て支援施設に期待されるべきことなのである。ここで、この種の施設を「地域」として創生すべき課題とは何かが問われることになる。

6. 共生する知恵と努力を楽しみつつ見つけるには

3.11（東日本大震災）の直後、多くの人々が被災地の支援に駆けつけた。このボランティアの人々の動きは、九州熊本地震のときも同じであった。また、自然災害ですべてを失った地域の人々の間で、無の中でこそお互いに助け合って生きるという術を再発見したという報道が繰り返し見られた。多くの人々の心の根底には、自分が生きることは他者の生きることと不可分であり、大きな自然災害が起きたとき、他者の苦しみを我がことのように思い、何かしらその人の役に立てないかという思いがあるのであろう。そこにあるのはまさしく「共生」の精神である。

都市空間で孤立して子育てをする人々にとって、同じ境遇にある親子が子育て広場のような場に来ても、直ちに他者の存在が自分の子育てに関わりがあるという心境になるとはいえないであろう。なぜなら、親たち自身、資本主義社会において、その多くが核家族で育ち、学校制度の中でも学力競争の洗礼を受け、社会生活においても、自己の豊かな生活のためにはより効率的な成果の達成を求められてきたはずである。そこで学んできたのは、子ども時代から他者より優位に立って生き抜く生き方だからである。

しかし、幼児たちはもちろん、遊ぶ仲間とトラブルを起こすことがあったとしても、親同士の心理的隔壁を超えて他児との関わりを求めるものである。これまでの事例から、幼児同士がお互いに関わり始めることで、子どものことを話題にして親同士の対話が始まることが多い。そして、こうした会話を媒介として親同士の交流が生まれる。この場におけるこうした状況を見守り支援していく職員の役割が極めて重要なのである。また、この施設に来て、子ども同士が交わり、それを契機に、何気ない形で親たちと関わることで、不安を抱えたまま狭い家庭空間の中で親子が向き合っていた葛藤を乗り越え、楽しい子育てを獲得できたという実感を得られることが、親子集団が市民として民族性を超えて「共生」感覚を見つける出発点である。そしてそれは被爆者の平和を願う言葉を受け止める心にも通底すると思うのである。

これまで、幼稚園、認定こども園、あるいは保育所にせよ、確固たる歴史と伝統を誇っている保育施設は、保護者たちの支持が欠かせないものとなっている。こうした施設に関わる保護者たちは、世代にわたって親から子へ、さらには孫をもこの施設に入園させたいと思っている。そこでは、保育と平行して保護者たちの独自の集まりがあり、園行事などを通じて園との交流も盛んである。そしてこの園行事が「地域」の人々にとっての年中行事にさえなっているところがある。こうした先例は、広場型子育て支援施設においてもモデルにすべきことである。なぜなら、支援施設における主体は、来場する親子だからである。施設をそうした「地域性」豊かなものに仕上げていくことも、職員の専門性に含まれるのである。なぜなら、ここでは、子育てについて親子がお互いに結び合うことでより自立した関係をつくり上げることが望ましいからである。従ってこの施設においての父母たちの活動の場やレパートリーは、親たちのサークルによる絵本の読み聞かせの会であったり、親たちが共同で利用する家庭菜園を施設の保育に利用することや、施設の活動として園外ツアーを実践することもあり得るであろう。父母たちの活動がこのように発展するには、職員の支援の役割が欠かせない。

特にこうした施設が地方自治体によって開設されている場合、職員は自治体職員としての職務規定に従うという建て前から、官僚的管理統制に赴く傾向も生まれざるを得ない。この施設が、次世代の養育を通して地域住民の福祉に貢献するという本来の目的に則って生かされていくためには、親子の自立という精神が生かされることが求められる。こうした親と子どもたち自身による地道な生活基盤を構築しようとする営みを通してしか、未来の平和を求める被爆者の言葉を受け止める基盤はなさそうである。

7. 新たな「地域」づくりのために 子育て支援施設職員の専門性確立を

子育て支援施設職員の専門性は未だ確立していない。なぜなら、この専門性を養成する機関（大学）が不在だからである。大学の中には「子育て支援」を名目に学生を募集するところもあるが、独自のカリキュラムがつくられていない。新幼稚園教育要領（2017（平成29）年）や幼保連携型認定こども園保育・教育要領（2017（平成29）年）の中に、子育て支援についての規定が盛り込まれている。ということは、今後この分野の子育て支援施設の増設に伴い職員の数も増加していくことが予想される。そうだとすれば、その専門家を養成し、専門性を認証する制度整備は喫緊の課題である。しかし、国も自治体もその課題には答えていない。

保育学会の発表部門の中には、子育て支援に関して発表する部門が開設され、この分野の研究者が増加していることを伺わせる。しかし、研究対象のフィールドとして認定するだけであって、新たな研究分野として、哲学的にも研究方法としても捉え直さなければならず、そうした研究は未だ不在である。具体的にいえば、これまで、子育ては親の親権に所属し、私事性とされてきた。しかし、待機児童問題を契機に公権力がここに介入せざるを得なくなってきた。今後、子育て「支援」という場合の「支援」概念の明確化は、支援者である保育者並びに公的施設の設置者・運営責任者の法的責任範囲を特定するとともに、支援を担当する職員の具体的内容を確定していくために欠かせない。またそのためには、子育て広場などをフィールドとしてその親と子の実態を記述し分析することで、幼児期の親子によってより自立的なコミュニティが生成される方向性を探り、そこでの職員のあるべき姿と役割を明らかにしていく必要がである。それゆえ、子育て支援施設職員の専門性は、新たな「地域」づくりと呼ぶべき大きな展望を持つものとして考えるべきである。生産の場や消費生活の場が必ずしも「地域」づくりの拠点となり得ない昨今、活動の場が空間的に限定されざるを得ない幼児期や児童期を対象にする保育や義務教育が、「地域」性を獲得する機会として認識することは極めて重要なことである。

1）トーマス・ゴードン『親業（Parent Effectiveness Training）―子どもの考える力をのばす親子関係のつくり方』近藤千恵訳、大和書房、1998年

9

共に生きるということと教育するということの関わり

一般財団法人福島県幼児教育振興財団
「研究紀要」第30号（2018年度）

はじめに

長い間、本誌に掲載された拙文をお読みくださった皆様に深い感謝の気持ちを申し上げるとともに、今回を以て私の執筆を終了させていただきたい。理由は、研究者にとって、こうした恵まれた機会をいつまでも独占することは、後輩の発言の場を阻むことになるやもしれないからである。

私はこれまで教育の現場に関わり、試行錯誤を重ねながら「教育」という事柄について考えてきた。その中には、戦前戦後にかけて大きく変化した戦前の軍国主義的な義務教育と、終戦直後のGHQの影響を受けたアメリカ民主主義の義務教育を自ら体験するとともに、教師としてこの事態に関わった父の姿を見聞した記憶、その後の私が受けた戦後教育の時代的推移の体験、その中で体験した明治育ちの教育者の父との確執、特に学生紛争のど真ん中で紛争に参加した私と父との対立。そうした戦後体験を味わいつつ大学院で戦後教育を研究し、昭和～平成を通して教員養成、特に幼児教育教員養成に携わった一方、二世代居住の家庭では、明治生まれの家父長的モラルの両親と戦後生まれの妻との子育て観の確執の中で、二人の娘を育てた育児経験等から「人にとって『教育』という営みとは何か」という問題について、その都度様々な想念と出合い考えさせられてきた。そうした体験とそこで学んだことを、現時点に立って想い起こしながら、この問題について述べてみたいと思う。

1．「人間」という種を地球内存在として考える

我々はこれまで「人間」は万物の霊長であると教えられてきた。確かに地球上のあらゆる生物の中で、優れた知性を持ってこの地球

をコントロールできるものは人間の他にはいないということは、紛れもない事実である。しかし、高度な人工知能（AI）を生み出した優れた人間が、経済発展競争のために化石燃料をエネルギー資源として使い過ぎることで、温室効果ガスを大気中に放出し、その結果、地球温暖化が生み出され、そのために今、日本だけでなく世界中で風水害の被害が増大している。この事態に、AI を生み出した人間の知性でさえも対応できていない。また、AI を生み出した科学技術と生産技術による経済発展は、農水産に限らず様々な工業生産の効率化、通信、流通などすべての分野の合理化効率化を生み出し、各国は経済発展をめぐって競争関係にあり、先進国は豊かになっているように見える。しかし、世界的に見れば極貧国も無数にあり、経済的に豊かな国とされている EU 諸国、アメリカ合衆国、日本、韓国においても、富裕層と貧困層の格差は拡大して、就学の困難な子どもも増えている。加えて、人の心の癒しや幸せの拠り所となるはずの宗教は、特定の宗教を求めてその世界に帰依する人々にとっては救済になっているとしても、イスラム原理主義のような特定の宗派は、その宗教を求めない民族の人にとって、命を奪われる可能性を持つ存在になってしまっている。

もし仮に、この地球上に生息するすべての生物種に対し、「ヒト」という種を自己責任を持つ一人格と仮定した場合、最も優れた知性を発揮し、高い文明社会を築き上げてきた人間という種の生き様をどう判断すればよいだろうか。この地球全体のすべての生物に対しこの地球をコントロールする立場に在りながら、もし、仮に地球外生物が存在するとして、彼らはこの地球の現状をどう見るであろうか。それは、人類のこうした行いを一人の人間の行いとして見るということである。少なくとも、現在の世界の現状を見れば、それは決して賢明な行為とはいえまい。一人の人間として正しく生きるためには、人の心を左右する情緒と意思と理性、つまり知情意の中でこの三つの働きのバランスをとって行動することが望ましいとされてきた。この視点から、ヒトが生み出してきた現代文明の現状をどう見るか。現代の世界経済市場における競争は、結果的に世界中に貧富の差を生み出している。世界有数の優秀な人材が努力を重ね、それぞれが所属する組織のために、最も競争力の高い商品やアイデアを出し合い、自分の国・自分の会社のために知能を駆使して利益を上げたり、自分の国を有利にしたりするために一生懸命努力する姿は、世界のあらゆるところで見られる。それが今の世界の在り方なので、それを非難したり、否定したりすることはできない。しかし、そうした努力の結果が、地球全体から見れば、世界に亀裂と地域紛争を生み出し、先進国の武器輸出は止まらない。こうした紛争地域では、若年のうちから武器を持たされ紛争に駆り出される少年兵や、戦乱の度に行き場のない難民が生み出され、兵士による女性への暴行凌辱の例も枚挙にいとまがない。生み出された難民は、自国より豊かな先進国に流出し、そこで民族対立を引き起こし、過激な民族意識を駆り立て、人種差別の動きが加熱する。自己実現やファミリー・会社などの幸せを追求する懸命な努力が、結果的には多くの紛争や、自分たちの生きる生物全体にとって重大な温暖化という地球の危機を招いてしまっている。つまるところ、現在の資本主義体制は、利益欲という衝動を制御できず生きる環境を悪化させてしまっており、自分の生存欲求のために他者の生存条件を犠牲にしているという結果を招いている。

２．人類の起源とその分化が生み出したもの

考古学によって人類の起源を辿ってみると、２億年から７千万年

前に霊長類が生まれたといわれている。最も原始的な原猿類を経て４千万年前になると、霊長類の亜目として生まれた人類亜目は、高度な猿に進化し、足の爪が鉤爪から平爪になった。そして３千万年前になると、ヒト上科というテナガザルと同じ科に属し、後ろ足で立ったのである。1700 万年前になると、ヒト科の大型猿であるゴリラ、オランウータン、チンパンジーが出現する。そして 600 万年前～ 500 万年前、大きな脳を持つ二足歩行の人類の祖先ヒト亜種が誕生したのである。この猿人の出現地はほとんどアフリカで、ジャワ原人、北京原人、明石原人など異なる猿人が世界各地で見つかっている。このことは、アフリカから各地に広がったことを現し、北京原人では火の使用も見られた。やがて 50 万年前～ 30 万年前には旧人類のネアンデルタール人が出現し、脳も拡大し、葬儀らしき跡も見られるようになった。そして遂に 20 万年前頃、新人類のクロマニヨン人が現れ、これが我々現代人の祖先と確定された。彼らを上洞人というのは、スペインのアルタミラやフランスのラスコーの洞窟の壁画で有名だからであろう。

おそらく、３千万年前頃から、人類の祖先は森から平原に出てきたのではないだろうか。足の爪の変化は、森林の木に自分の身体を安全に固定させるよりは、移動での加速性を重視するのに良かったからであり、後ろ足で立つ習性は、捕食動物を警戒するマーモットのように立つことで、草原では視界が開けることが必要だったことから得られたのであろう。そして、二足歩行で重力に抗して身体を支えていた前足が、その役割を終え、手として道具を使用することを覚え、小さい身体でも石器などを使って捕食動物を捕まえたりした。また、敵の襲来を感知しそれを伝えるための相互伝達の手段として言葉を獲得して生きながらえ、類（集団）として生き抜く術を身につけてきたのである。

だから、ヒトという動物種は、他の動物種に比べて個体としては弱くとも共生する力が強い生物として地球に君臨してきた。ただし、他の動物種には見られない最大の欠点は、同じ種同士が地球各地に分散してそれぞれの文化を生み出したことで多様化し、同じ種であることを忘却することで争い、殺し合ったことだ。また、一人ひとり自分の心を持つことを自覚し各々の生き様を追求することができる自由を得たが、同時に、同じ文化を共有していても、争い、他者や他の共同体・他国を攻撃し、殺戮し、死滅させるという戦争を繰り返してきた。

3．人類の文明と経済発展がもたらしたもの

今、ここで人類の歴史を振り返ってみても争いの歴史は絶えることはない。しかし、第一次世界大戦あたりから、敗戦国のみならず、戦勝国の犠牲も膨大になり、第二次世界大戦後は、広島・長崎の原爆の被災のように、後世忘れがたい被害が歴史に跡を残している。にもかかわらず、ベトナム戦争、アフガン戦争、イラクやシリアなど中東の局地での争いは続いている。しかしその一方で、世界の冷戦といわれた社会主義圏と自由主義経済圏の二極化は解消し、社会主義を建て前にする中国も資本主義経済圏に参入して世界中で資本主義経済による自由貿易市場が実現し、各民族国家が経済成長を図り企業体の貿易収支拡大を支援する形で世界の市場競争に鎬（しのぎ）を削っている。その結果、経済競争の中心にいる先進国についていける発展途上国もあれば、未だに遅れたままの国もある。しかし問題なのは、先進国の中で貧富差が拡大し、世界の貧困層の不満が宗教紛争とからまる形で過激化しテロ行為が頻発。世情が混乱し、政治も不安定化し、経済的に豊かな国への難民を大量に生み出している。こ

の事態は、先進国の低所得者層の生活を脅かすことになり、世界各国の政治動向を右傾化させ、民族主義的傾向の右翼的政治家が各国に登場し、世界を分断させ、国内を分裂させる傾向が高まっている。その現れとしてヘイトスピーチやデモが街頭に出現し、ドイツではネオナチのデモや難民拒否を訴えるデモが出現している。今や世界は、政治的にも経済的にも、分裂と対立が深くなっているように見える。

こうした世界の人類内部の対立抗争を嘲笑うかのように、地球温暖化が世界各地で自然災害の被害を拡大させている。2018（平成30）年に起きた自然災害を見てもその兆候は明らかである。我が国はこの年、台風の上陸一つとっても５回の襲来を受けており、降雨量、風速とも、拡大しつつある。この傾向は日本だけではない。地中海のスペイン領マジョルカ島で10月10日に発生した集中豪雨は、この島に未曾有の洪水被害をもたらし、20人の死者を出した。一方、アメリカ本土にも、９月14日、ハリケーン「フローレンス」が千年に一度という豪雨を伴って襲来し、10月10日ハリケーン「マイケル」などがフロリダに上陸。その後も数本のハリケーンが発生・上陸した。こうした台風やハリケーンの多発と強力化は、地球温暖化による海水温の上昇によるものであることは、もはや疑う余地はない。それは、プラスチックゴミが海に投棄され、魚介類に被害をもたらしつつあるのと同様に、文明と経済産業の発展が生み出した地球環境の悪化の結果なのである。

この事態に人類は責任をとることができるであろうか。少なくとも、現状のように人類の中で対立と分裂を繰り返している限り、人類に生存の未来はない。人類誕生の原点における生存条件である「共生」という概念に立ち戻らない限り、地球の生存環境の保全は維持できないであろう。

4．我々人類にとっての「共生」の発想としての気候変動に関する国際会議IPCCやCOPとESDの理論と実践

もちろん、これまでに人類の共生を追求しようとした試みが歴史上なかったわけではない。チェコ生まれの教育学者の一人、アモス・コメンスキー（コメニウス、1592−1670）である。彼はプロテスタント教団の牧師として30年戦争に巻き込まれて祖国を追われ、ポーランドからオランダに逃れヨーロッパを放浪しながら、世界市民のための教育を構想した。その著作は『大教授学』『世界図絵』の名で知られている。また近代になってからは、第一次世界大戦時下、アメリカ合衆国第28代大統領ウッドロウ・ウィルソンが「14か条の平和原則」を発表し、その第14条で「国際平和機構」の設立を提唱し、1920（大正9）年、国際連盟の創設となった。しかし結果的には、参加国同士の国益の衝突の場にしかならなかった。平和構築の国際組織として生まれた国際連盟が、第二次世界大戦の歯止めとならなかった反省を踏まえ、1945（昭和20）年10月24日、国際連合（United Nations）が発足した。以後、共生への様々な努力にもかかわらず、世界の各種紛争は収まらず、世界の安全保障に対する有効な機関となり得ていない。その大きな要因として、国連の主要な課題「世界の安全保障」を話し合う安全保障理事会の中心メンバーが、第二次世界大戦の主要戦勝国から構成されており、決議内容に対し自国の国益の立場から拒否権を行使できるため、そうした国々の意思を無視しては何もできないからである。

しかし現在、地球上の国際問題の国際会議で締約を実行化しようとしているのは、気候変動に関するIPCC（Intergovernmental Panel on Climate Change・気候変動に関する政府間パネル）とCOP（国連気候変動枠組条約締約国会議）である。こうした環境対策に世界各

国が取り組まなければならないと決意するために、世界各国の地球科学者、気象学者、生物学者や経済学者の研究データに基づき、人為による気候変化、影響、適応、緩和方策に関して科学的、技術的、社会経済学的見地から包括的評価を行うことを目的として、1988（昭和63）年、国連環境計画（UNEP）と世界気象機関（WMO）によってIPCCが組織された。また地球環境への科学的総合的診断を行動に生かすために、1992（平成4）年、大気中の温室効果ガスの濃度を安定化させることを目的とした国際会議（COP）が発足し、以来、毎年開催されている。併せて2017（平成29）年からは、MOP（Meeting of the Parties・京都議定書締約国会合）が開催され、加えて2018（平成30）年はCMA（Crisis Management Association・危機管理協会）、つまりパリ協定締約国会議も開かれた。目的は京都議定書（Kyoto Protocol to the United Nations Framework Convention on Climate Change、第3回（1997年）COPの締約書）やパリ協定（第21回（2015年）COPの締約書）の結果の検討であり、この二つは地球の温暖化に対する参加諸国の対策の決意表明だからである。これらはまさに、人類共生のための実践である。

2018（平成30）年10月10日の毎日新聞の朝刊に掲載されたIPCC報告（10月8日発表）によると「地球温暖化の影響で早ければ2030年にも産業革命以前からの平均気温上昇が1.5℃に達し、サンゴの大部分が消滅するなどの地球環境の急速な悪化を予測した特別報告書を公表した」とあった。この報告書では「化石燃料を燃やすなど人為的な温室効果ガス排出によって地球の平均気温は既に1℃上昇したと推測され」、もしこのままいくと「動植物について5千種を調べた結果、2℃上昇すると昆虫の18%、植物16%、脊椎動物8%が生息域の半分以上を失う」とあった。これに対し「気温上昇を1.5℃に抑えるために、二酸化炭素の排出量を2010年比で2050年頃には実質ゼロにする『脱炭素化』の必要性を強調し」そのためには「石炭火力発電をゼロにする必要がある」という。またCOP21のパリ協定で目標とされた2℃上昇と比べると「海面上昇のリスクにさらされる人々を1,000万人ほど減らせる」という。サンゴも2℃上昇ではほぼ全滅するとされているが、1.5℃では10～30%生き残る可能性がある。そして、2018（平成30）年に開催されたCOP24では、その詳細は省略するが、今までの決定を淡々と実施していくという様相であったという。ただ、この会議にアメリカのトランプ政権は参加していない。地球での共生を阻むのは大国の存在である。日本はCOP 3（1997年）では京都議定書で先駆的役割を演じたが、パリ協定（2015年）では後退している。

もう一つの共生への試みは、スウェーデンに始まったESDの運動とその理論である。ESDとは、Education for Sustainable Development（持続可能な開発のための教育）の略である。私は2008（平成20）年、山形県最上郡金山町のめばえ幼稚園園長・井上亘氏と共にスウェーデンを訪問した。目的はスウェーデンのウプサラ市オパーレン幼稚園との間で行っていたESDの実践に関する共同研究の一環として、スウェーデンのESDの調査のためであった。そのとき、一人のESD実践者から、think globally, act locally（地球規模で考え、身近なところから取り組む）というESDの精神の前半を学んだ。そして後半についてはこの調査の見聞から学んだ。その人は「現在の地球はこのまま放置すれば、持続不可能状態に堕ちる。そうした状況を生み出した責任は人間社会にある。だから地球を持続可能にする義務もヒト（人類）にある」という認識なのである。だからこそ我々の日常生活の具体的な出来事について、地球環境の保全を考え実践していこうとすることがESDなのである。例えばゴミの収集を通じてリサイクル活動に参加することで、人間の生活に利用されるすべての自然資源が地球環境の中ですべて関連を持ち循環しており（それが環境という言葉の原義である）、その事実を体験を通して学び、人間もそれに従って実践しなければならない。この点から見ると、近年やっと問題視されてきたプラスチックの大量廃棄の影響が、世界各地の深海にまで達し海洋生物の生息条件を悪化させているという事実は、今後 ESD が取り組む課題であろう。ファミリーレストランがプラスチックのストローを紙のストローに替えたというニュースや、購入した商品を持ち帰る際に使うビニール袋をスーパーマーケットが有料化するというニュースから、子どもたちが何をどこまで学ぶかが ESD の課題である。

5．類的存在としての人類（ヒト）がその DNA に「共生」の特質を持っているか

第２節で人類の祖先は、３千万年前に平爪になり後ろ足で立つという資質を獲得したという事実から、この時期に森林から平原に現れたと推理した。理由は、その資質が捕食動物からの逃亡と監視を可能にしたからである。そして彼らは集団で行動したのであろう。捕食動物から集団で身を守るためには、個体が集団から離れるわけにはいかないのである。そのためにはまず、個体同士の身体が、渡り鳥が同時に同調して飛び立つように無意識に同調して動かなければならない。これは姿勢反響といって我々人間も持っていると、私の共同研究者の岩田遵子教授はいう。岩田教授は、この身体の響き合いを「ノリ」と呼んで、この働きがお神輿の「わっしょい」のリズムのように人と人との関係づくりには重要だといっている。さらに、チンパンジーが集団の危機状態の連絡を個体同士の声による応答で行っているように、我々の祖先も同様に行ったと想定され、そ

れは言語の使用と無関係ではなかったと思われる。

こうして長い時間にわたって形成されたヒトの祖先の慣習は、やがて人の遺伝子に組み込まれていったのである。人間は、動物種の中でヒトだけが獲得した直立歩行という習性がゆえに骨盤が狭くなっており、他の哺乳類のように胎児が母体内で十分に成熟してしまうと、直径10センチの狭い産道を通じて出産することができなくなる。ところが、ヒトの胎児は言語を使用する能力を獲得することで、前頭葉を中心に拡大した脳を持つ。それゆえヒトの胎児の出産には困難を伴う。この矛盾を解決するために、ポルトマンのいう生理的早産（胎児が胎内で成熟したら自力では体外に出てこられないので、未熟の段階で出産する）という機制が生まれた。そのため、誕生直後のヒトの新生児は未成熟であり、一人では生きられない。よってヒトの子は大人の保護が必要であり、当然のことながら、親は慣習に従って、誕生した新生児をケアする（保護する）必要がある。新生児は自己の身体の延長線上にありつつ、他者として分離した存在である。それゆえ、誕生後も胎生関係の延長として乳幼児と養育者の関係性を維持しなければならない。つまり、親と子は共生をしなければ、子は死んでしまうのである。それゆえに、親と子との間には見えないリズムの響き合いがあると、イギリスの研究者トレヴァーセンはいった。彼はこれを communicative musicality（コミュニケーション的音楽性）と呼んでいる。こうした関係性があるからこそ、人間の新生児にも養育者の働きかけに応答する力がある。誕生の瞬間から親が舌を出すと新生児もそれに応答するといわれている。これは、言語能力を持つヒトだけが持つ能力である。これにより、出産後も養育者と新生児との応答性は継続される。例えば、母親が乳房を含ませると新生児は母乳の出る量に応じて吸飲するリズムを調整する。また乳幼児には、人間の顔のゲシュタルトに反応するアフォーダンス（注：環境が動物の行為を直接引き出そうと提供＜アフォード＞している機能＝アメリカの心理学者 J. ギブソンがつくった用語で、例えば、ユーカリとそれを食して生きるコアラとの関係など、環境の特質でもあり、動物の行動でもある）があり、養育者の笑顔に応答するアフォーダンスがある。こうした両者の関係を維持していく働き、即ち乳幼児の能力を利用して、養育者が幼児の生命維持のための関係性を構築していくことをここで「保育」と呼んでおきたい。

保育の「保」は新生児の生命維持のためのケアを意味しており、その原則は新生児の生命活動のリズムに沿った関係性を認識し、生命活動の促進を支援することである。例えば、母親が新生児の耳を自分の心臓に接触させて抱くことで、新生児の睡眠を誘導する。これは、親の心臓の鼓動と新生児の鼓動は、後者が親の２倍の速さで鼓動を打つ。すると、２、４、６、８……の周期で両者は同期し、その効果で、新生児は睡眠状態になる。また、新生児の泣きは新生児の生理的変化を伝えるシグナルである。さらに、新生児の泣きの要因が睡眠欲求、空腹、不快、体調不良等であり、この変化を新生児の泣き方から養育者が聞き分けることができれば、新生児も泣き分けるようになるという。もし、新生児が眠いのであれば、抱きながらお尻の辺りを軽く叩いたり、ゆりかごをゆっくり揺すったりしながら子守唄を歌うことで、睡眠へと誘うことができる。

また、養育者が発する言語に応答する幼児は、言語の音声の発生源である唇の動きを注視する。そしてそれが停止すると、これに応答して声を上げたり、両手両足を動かしたりする。この応答性の獲得こそ、対話における話し手と聞き手の交換のルールを学ぶ端緒である。新生児が排泄によってオムツが汚れ、不快な状態になって泣いたのに気づいた親がオムツを取り替えるときには、新生児がまだ言語の意味を理解する段階になっていなくても、親は新生児の泣きに応えて、オムツを替えながら思わずこう語りかけたりするものである。「〇〇ちゃん、待っててね、すぐ取り替えるからね、はい、お待ちどおさま、ほーら、気持ちよくなったでしょう」と、ここで新生児はオムツの交換により不快感が快感に変わる実感を持った瞬間、目の前の親の笑顔に出会う。結果的に、親の笑顔は自己の快感と結びつく。これは乳幼児の親への愛着の一因となる。

一方、親にとって子どもの笑顔は子どもの可愛さであり、オムツを替えるというケアへのフィードバックとして映る。こうしたケアに伴う応答関係のリズムこそ、子どもを育てたいと思う親の愛の源泉となる。お互いが笑顔を交わし合うコミュニケーションを通じて喜びを共有し合う。この応答性の獲得こそ、対話における話し手と聞き手の交換のルールを学ぶ端緒である。こうした乳幼児に対する養育者の応答は、乳幼児の生命活動のリズムに合わせた形をとる。私はこれを「カップリング」という概念で呼んでおきたい。

この関係性をそうした概念で括る理由は、家庭の児童虐待が激増している今だからこそ、親子関係の共生性をあえて強調したかったからである。現代の養育者たちはすべてにおいて加速化された日常生活を送っている。電話はダイヤルからプッシュボタンへ、切符はカードへ、料理は手づくりから電子レンジへ。こうした状況の中でも、養育者と幼児との関わりは、幼児の生命活動のリズムに合わせなければならない。これが、養育者に苛立ちの感情を持たせる。子どもへの叱責の代表的なものが「早くしなさい」「グズグズしないで」であることからも明らかである。では、この共生関係から教育の働きはどう成立するのか。

保育という概念を成立させている保護（養護）と教育の二つの下位概念に注目し、両者の関係を考察してみよう。生理的早産のメカニズムで生まれた人間の新生児が、潜在的に多くの高い能力を持ちながら、自力では生きられず、養育する存在の応答的支援がなければ生命維持ができない存在であることは既に指摘した。従って養育者は、ケアを通して、幼児の生命維持のための代謝行為の支援を行うとともに、身体行為として新生児の生命活動を庇護する責任がある。このケアの原則は、乳幼児の生命活動のリズムに応じて支援を行うということである。

先に筆者がこの関係をカップリングと命名したのは、幼児成育のためにこの関係は何にもまして優先しなければならないからである。つまり、乳幼児の生命活動のリズムに従うということは、例えば、授乳時間は3時間おきから徐々に長くなり、最終的には大人の食事時間に一致するに至る。つまり養育者のケアの原則は新生児の生命活動のリズムに合わせることを通して、結果的に幼児が大人のペースに従うようになるということである。それゆえ、新生児の生命活動のペースに従って養育のケアは遂行されるが、その過程は幼児の生命＝生活を守る行為であり、それは養育者の身体行為による新しい未熟な生命体の保護という性格を持っている。そしてそれは、保護者の立場からすれば、時に新しい生命体の自由を拘束することも起こりうるであろう。そして、そうした機会に養育者は、新しい生命体である幼児を自らの意思で動く存在として認識することにもなる。そうした認識こそ、幼児は自らの意思で動く存在であり、その存在の安全が守られる限り、その存在の自由な動きを阻止してはいけない。つまり、それは将来、その存在の育ちを妨げる可能性もあるからである。養育者にとって、身体で保護している他者の存在が、養育者とは異なった動きをすることで、その他者を保護しながらも、その他者の生命体としての動きを認知し、その動きを許容するという姿勢をとることで、他者を被教育対象として認識することから「教育する」という視点が成立するといえる。

このように「教育」という視点を捉えることは、教育という作用を考えるにあたって極めて重要である。教育作用が被教育者に対する外部の存在からの働きかけであるとするならば、この作用の結果は被教育者の発達のプロセスを通して現れる。言い換えれば、教育作用の結果は、直後ではなくゆっくりと事後的・間接的にしか現れない。つまり対象である子どもの育ちとしてしか現れない。教育とはつまるところ発達支援を意味している。こうした教育の認識の仕方は、被教育者に対し、最もふさわしいスタンスだといえる。なぜなら、外部からの他者による作用としての教育は、学習主体の学びの体制に繰り込まれて学習結果を生み出す。それゆえ、教育する側が持つべき基本的姿勢には、学習主体である被教育者の学びの態勢についての認識が必要であり、いつどこで何を働きかけるかの判断は、子どもの育ちの姿に求められる。その判断の端緒がケアする状況の中で、幼児の主体的動きの発動を見極める瞬間にあるのである。

教育への視点や体制を上述のように捉えることは、過激な知的早期教育や教育に対する過剰な期待が学習者の人権を無視することや、教育者（教師）の意図や計画に順応しない学習者の態度や姿勢を変容させる目的で相手を説諭したり叱責したりする行為により相手を自死に追い込んだりする事件が、教育の本義にいかに反しているかを示している。制度としての義務教育が当然視され、日常化されることにより、「教育」とは何かを問うメタ意識が失われることで、制度疲労が意識されず、結果として発生した「いじめ」による自殺や、不登校の恒常化が進行している。人は共生することで教育に目覚めるのである。保育の視点から捉えられるこうした「教育」の認識は、現在の義務教育制度の中で起こっている様々な問題に新たな視点を提供するに違いない。即ち、人類が今後共生を目指す方向に教育は向かうべきであり、その端緒は幼児期の保育にあるのである。

地球を守るためには、世界の分断と対立を激化させるために優秀さを目指す教育ではなく、共生を目指す教育が必要なのである。その教育思想の基礎体験は保育にあるのである。

6．現代社会における教育の問題点と課題は何か

自由主義世界のマスコミにおいて世界の教育水準が問われるとき、おおよそ世界の大学のランクづけが問題になる。多くの場合、アメリカ合衆国のハーバード大学や MIT（マサチューセッツ工科大学）、カリフォルニア IT、ヨーロッパではオックスフォード大学などが挙げられ、その根拠として、理系のノーベル賞受賞者など世界的研究者の輩出数が挙げられる。最近では、2018（平成 30）年にノーベル生理学・医学賞に輝いた京都大学の本庶佑（ほんじょたすく）教授。彼の基礎研究によってガン治療薬が開発され、それがもたらす経済効果も極めて莫大なものとなる。そのため、先進国は競って教育制度を刷新し、人材養成に努力するようになってきた。そこで OECD（経済協力開発機構）は幼児期の教育の重要性に着目しているが、技術革新こそ自国の経済発展を支えるものだという信念から、高等教育を軸に優秀な人材の確保を構想してきた。それゆえ、義務教育段階を支える理論は優秀性（excellence）ということを最も主要な目標にしている。そしてそれは学力テストが重視される教育であり、さらにそれを支える政治思想は、熾烈な経済競争の中での国益重視の価値観に基づいている。確かに、世界の現実の中でリアルに生き抜く力はそこにあるのだから、そうした側面を無視することはできないかもしれない。しかし、前述のように、経済格差や家庭の児童虐待を放置した結果、教育を受ける権利を奪われたり、いじめのために自死に追い込まれたり、学校に通うことすらできなくなったりする状況は、人

が本来持っている「共生」感覚の圧殺であり、人が人でなくなることである。それは結局、地球温暖化を放置して人類を滅亡させる道に通ずるのである。

7．未来社会に向けての保育という営みの持つ教育的意義

産業革命以来、前述のように、1℃の気温上昇によって、もはや地球温暖化の兆候の影響は明らかであり、2018（平成30）年は日本だけでなく、北米やヨーロッパなど世界中で豪雨と風の被害が甚大であった。人類は、国家や人種、宗教、文化、政治的経済的優位差を超え、温暖化の抑制に努め、プラスチックゴミの廃棄を直ちに阻止しなければならない。海洋生物の死滅は海洋資源の消滅につながるからである。それには、我々人類の本質に立ち返ってみることである。我々一人ひとりが人類の一人として、祖先がアフリカの地で群れとして発生し、共生し始めたときの習性が我々のDNAにも「ノリ（リズム）」の同調と応答の機制としてセットされていることに思い致すべきである。そして保育という営みこそ新生児誕生の瞬間から養育者と新生児の共生関係のベースを守ることで教育の意識と行為が成立するという事実を認識することである。さらに保育における遊びは養育者とのカップリング（養育者との同調と応答）を土台に、幼児が環境（モノとスペース）との関わりを自ら求めて探索しながら（例：砂遊び)、その際の仲間の幼児たちとのまなざしや動作、発声、言語等の同調、応答のノリが同伴し、最終的には、保育者との関係（見る一見られる）の中で、この遊びにおける自分たちのパフォーマンスが保育者によって認知されるという確信が、この活動へのモチベーションを高めるのである。それゆえ、保育における遊びこそ、幼児たち自身による共生体験といえるのである。

幼児たちは成長するにつれて自己を主張し、他者と競い合い、時に対立を経験するだろう。しかし幼児期における保育の中の遊びは、やがて、ボクシングにおける闘いやラグビーにおけるチーム同士の争い、つまりスポーツへと発展する。そこで大切なことは、スポーツでの「争い」「格闘」「競争」は、ボクシングでは「リング外では戦いの停止」、ラグビーでは「ゲーム終了後はノーサイド」という“ルール”である。幼児期の遊び体験は、やがて、大人のスポーツや学術の基盤となり、言語ゲームとしてのディベートという思想につながり、オリンピック競技は世界平和が前提である、という考え方に行き着くのである。宇宙船地球号は、人類共生の理念のもとでこそ船出ができるのである。その体験的基盤こそ、保育における遊び体験である、と私は主張したい。我々は分断が進行するかに見える世界の現状の中で、共生の感覚を身体レベルから磨き上げる保育の営みの重要性を改めて痛感したい。それこそ人類共生への唯一の道だからである。

おわりにを謝辞に代えて

長期にわたって、幼児教育（保育）に関わる私の思いと考察を掲載くださった一般財団法人福島県幼児教育振興財団のスタッフの皆様と、本誌執筆のきっかけをつくってくださった牧公介先生、さらに長い間、私の拙文をお読みくださった読者の方々に深甚の感謝を申し上げたい。

<あとがき>

ここに掲載した一連の文書は、現在、一般財団法人福島県幼児教育振興財団が毎年１回、出版している「研究紀要」に、夫の小川博久が連載していたものです。小川博久は、2019年９月18日に逝去しましたが、自分自身の病気がわかる前から、自身のこれまでの業績をまとめていきたいという願いを持ち、中でも、福島県幼児教育振興財団「研究紀要」に連載させていただいたものを一冊にまとめたいと強く願っていました。

本書には九つの論文が収められており、これらはすべて依頼論文です。読んでくださるとわかりますが、この「研究紀要」に投稿したものは、研究論文というより、小川博久が日常、考えていること、あるいは、その時々に考えたことをテーマとして書かれたものです。ある時は憤り、その憤りが筆を走らせています。丁寧に、一つ一つ参考にした著書などを掲載しなくても、許されたので、本当に主張したいこと、書きたいことを書いた文書の集まりです。

小川博久は、様々な人と議論するのが好きでした。ちょうど、議論するときの活発にいきいきと話すように、書いていると思います。毎年１回の機会をいただきましたので、内容が重複している個所も多くあります。重複しているところは、強調したかったと理解しています。保育のこと、幼児教育のこと、子どものことなどを考えるのが好きでした。どうしたら、子どもにとって良い保育・幼児教育が可能になるのかを常に考えていました。福島県幼児教育振興財団の「研究紀要」に力が入るようになったのは、2011年の東日本大震災があったからです。それまでは、広く「日本の」子どものことを考えていましたが、震災後は特に「福島県の」子どものことを気にかけていました。何編かにわたって、そのことが書かれています。

小川博久が福島県とかかわるようになったのがいつからなのか、定かなことはわかりませんが、たびたび講演に行きました。福島県幼児教育振興財団では、研修会などを開催しており、参加されている保育者の方々は、熱心に保育・幼児教育について学んでいます。「研究紀要」を発行しているのも、活動の一つです。この「研究紀要」に長い間、連載させていただけたことは本当に幸いでした。そして今回「研究紀要」から小川博久の論文を抜粋し、出版することを許可していただいたことも大変有難く、福島県幼児教育振興財団の皆様には心から感謝したいと思います。

また、この度、一冊にまとめる作業を引き受けてくださいましたのは、「わかば社」という小さな出版社です。小川博久は、福島県幼児教育振興財団の「研究紀要」をまとめることをわかば社にお願いしたいといい、わかば社が快諾してくださったのです。さらに、わかば社は、毎年行われる東京学芸大学附属幼稚園小金井園舎の公開研究会に参加しており、わかば社の代表は附属幼稚園の先生方の本を編集した経験もあることから、小川博久のこの本の各章の扉に附属幼稚園の子どもたちの写真を使用させていただけることになりました。小川博久は、この附属幼稚園の公開研究会には毎年、必ず参加していました。脊柱管狭窄症のためにほとんど歩けないときでも、参加していました。車いすを用意してくださり、送り迎えもしてくださっていました。その附属幼稚園の子どもたちの写真を掲載することを許可くださいました、東京学芸大学附属幼稚園小金井園舎の先生方にも本当に感謝申し上げます。

皆様のご厚意があって、この本が完成しました。皆様に感謝です。本当にありがとうございました。

2020年3月

（編集）小川　清美

＜初出一覧＞

1　現代の教育の混迷とどう取り組むか

財団法人福島県私立幼稚園振興会「研究紀要」第18号（2006年度）

2　教育の本義はどうすれば取り戻せるか

―「人間形成」の目的は今生きているか―

財団法人福島県私立幼稚園振興会「研究紀要」第19号（2007年度）

3　遊びの意義の再考　―教育とは何だろう―

財団法人福島県私立幼稚園振興会「研究紀要」第20号（2008年度）

4　現代における子育て　―少子化時代をどう乗り越えるか―

財団法人福島県私立幼稚園振興会「研究紀要」第21号（2009年度）

5　子育て政策のディレンマを克服する道はあるか

―長期的展望を求めて―

財団法人福島県私立幼稚園振興会「研究紀要」第22号（2010年度）

6　現代の子育て問題を考える

―自然、生活、子育て等の総合的関連性の中で―

一般財団法人福島県幼児教育振興財団「研究紀要」第26号（2014年度）

7　教育制度の中で生活教育を取り戻すことはできるか

一般財団法人福島県幼児教育振興財団「研究紀要」第28号（2016年度）

8　子育てへの新たな取り組みはどうすれば可能か

―広い視野から身近な日常の子どもとの関係を考える―

一般財団法人福島県幼児教育振興財団「研究紀要」第29号（2017年度）

9　共に生きるということと教育するということの関わり

一般財団法人福島県幼児教育振興財団「研究紀要」第30号（2018年度）

<著者紹介>

小 川 博 久 （おがわ ひろひさ）

1936年東京都生まれ。早稲田大学教育学部教育学科卒業、東京教育大学大学院教育学研究科修士課程修了、同博士課程満期退学。北海道教育大学教育学部助教授、東京学芸大学教授、日本女子大学教授を経て聖徳大学教授（大学院担当）、2012年退職。元・日本保育学会会長。幼稚園教育要領作成のための調査研究協力者会議委員、時代の変化に対応した今後の幼稚園教育の在り方に関する調査研究協力者会議委員、文部科学省学校施設整備指針策定に関する調査研究協力者会議委員など歴任。2019年逝去。

主な著書は、『子どもの権利と幼児教育』（共編著）川島書店1976年、『保育実践に学ぶ』（共編著）建帛社1988年、『保育援助論』生活ジャーナル2000年（復刻版、萌文書林2010年）、『21世紀の保育原理』同文書院2005年、『子どもの「居場所」を求めて—子ども集団の連帯性と規範形成』（共著）ななみ書房2009年、『遊び保育論』萌文書林2010年、『遊び保育の実践』（共編著）ななみ書房2011年、『保育者養成論』萌文書林2013年、『授業実践の限界を超えて—ある教師の表現者としての教育実践』（共著）ななみ書房2018年等。

<編集>

小 川 清 美 （おがわ きよみ）

大妻女子大学家政学部児童学科教授。

<協力>　一般財団法人福島県幼児教育振興財団
東京学芸大学附属幼稚園小金井園舎

● 装丁 レフ・デザイン工房

現代の教育にどう取り組むか
―保育・子育てへの展望―

2020年4月30日　初版発行

著者　小川博久
編集　小川清美
発行者　川口直子
発行所　（株）わかば社
〒173-0004　東京都板橋区板橋2-46-12
Tel(03)6905-6880 Fax(03)6905-6812
(URL)https://www.wakabasya.com
(e-mail)info@wakabasya.com
印刷／製本　シナノ印刷（株）

ISBN 978-4-907270-30-8 C3037